Donde el corazón te lleve

(Va' dove ti porta il cuore)

TÍTULOS DE SUSANNA TAMARO
PUBLICADOS POR EDITORIAL ATLÁNTIDA

Donde el corazón te lleve

•

Anima Mundi

SUSANNA TAMARO

Donde el corazón te lleve

(Va' dove ti porta il cuore)

Traducción
ELEONOR GORGA

Editorial ATLÁNTIDA
BUENOS AIRES • MÉXICO • SANTIAGO DE CHILE

Título original: VA'DOVE TI PORTA IL CUORE
Copyright © 1994 by Baldini & Castoldi S.R.L.
Copyright © Editorial Atlántida, 1995.
Derechos reservados. Decimotercera edición publicada por
EDITORIAL ATLANTIDA S.A., Azopardo 579, Buenos Aires, Argentina.
Hecho el depósito que marca la ley 11.723
Libro de edición argentina.
Impreso en Argentina. Printed in Argentina. Esta edición
se terminó de imprimir en el mes de marzo de 1998
en los talleres gráficos Indugraf S.A., Buenos Aires, Argentina.

I.S.B.N. 950-08-1461-7

A Pietro

Oh, Shiva, ¿qué es tu realidad?

¿Qué es este universo lleno de estupor?

¿Qué forma la semilla?

¿Quién hace de cubo en la rueda del universo?

¿Qué es esta vida más allá de la forma que
penetra las formas?

¿Cómo podemos entrar allí plenamente, por
encima del espacio y del tiempo, de los nombres y
de las señas personales?

¡Aclara mis dudas!

De un texto sagrado del sivaísmo de Cachemira

Te fuiste hace dos meses y, desde hace dos meses, aparte de una postal donde me comunicabas que todavía estabas viva, no tengo noticias tuyas. Esta mañana, en el jardín, me detuve largo tiempo frente a tu rosa. Aunque todavía es otoño avanzado, se destaca con su color púrpura, solitaria y arrogante entre el resto de la vegetación ya extinguida. ¿Te acuerdas de cuando la plantamos? Tenías diez años y hacía poco habías leído *El principito*. Yo te lo había regalado como premio por tu promoción a otro grado. Quedaste encantada con la historia. De todos los personajes, tus preferidos eran la rosa y el zorro; por el contrario, no te gustaban el baobab, la serpiente, el aviador, ni tampoco todos los hombres vacíos y presuntuosos que vagaban sentados en sus minúsculos planetas. Fue así como una mañana, mientras desayunábamos, dijiste: "Quiero una rosa". Ante mi objeción en el sentido de que ya teníamos muchas, respondiste: "Quiero una que sea sólo mía, quiero cuidarla, quiero hacerla crecer". Por supuesto, además de la rosa también querías un zorro. Con la astucia de los niños, habías expuesto el deseo simple antes que el casi imposible. ¿Cómo podía negarte el zorro después de haberte concedido la rosa? Discutimos mucho sobre este punto y por fin nos pusimos de acuerdo en que fuera un perro.

La noche antes de ir a buscarlo no pegaste un ojo. Cada media hora golpeabas a mi puerta y decías: "No puedo dormir". A las siete de la mañana ya habías desayunado, te habías aseado y vestido; me esperabas sentada en el sillón con el abrigo puesto. A las ocho y media estábamos frente a la entrada de la perrera, todavía cerrada. Mientras mirabas a través de la reja, decías: "¿Cómo sabré cuál es el mío?". Había una gran ansiedad en tu voz. Yo te tranquilizaba: "No te preocupes —te decía—, recuerda cómo el Principito domesticó al zorro".

Volvimos a la perrera tres días seguidos. Había allí más de doscientos perros y tú querías verlos a todos. Te detenías ante cada jaula, permanecías inmóvil y absorta en medio de una aparente indiferencia. Mientras tanto, los perros se echaban contra la red, ladraban, daban saltos, con las patas trataban de romper la malla. Junto a nosotros estaba la encargada de la perrera. Creyendo que eras una muchachita como las otras, para animarte te mostraba los ejemplares más hermosos: "Mira ese cocker", te decía. O: "¿Qué te parece aquel lassie?". Por toda respuesta emitías una especie de gruñido y seguías adelante sin escucharla.

Encontramos a Buck al tercer día de aquel vía crucis. Estaba en uno de los compartimientos traseros, de esos que se usaban para alojar a los perros convalecientes. Al llegar a la reja, en lugar de correr hacia nosotros como todos los demás, se quedó sentado en su lugar sin levantar siquiera la cabeza. "Aquél —exclamaste, señalándolo con el dedo—. Quiero ese perro que está allá." ¿Recuerdas la cara aterrada de la mujer? No lograba entender cómo querías convertirte en la dueña de ese cuzquito horrible. Claro, porque Buck era pequeño, pero dentro de su pequeñez encerraba casi todas las razas del mundo. La cabeza de lobo, las orejas suaves y bajas de perro de caza, las patas esbeltas de un perro pachón, la cola espumosa de un perro lulú y el manto negro y reluciente de un doberman. Cuando entramos en la oficina para firmar los papeles, la empleada nos contó su historia. Lo habían arrojado desde un auto en movimiento a principios del verano. En la caída se había herido gravemente y por ese motivo una de sus patas posteriores colgaba como muerta.

Ahora Buck está aquí, a mi lado. Mientras escribo, cada tanto suspira y acerca la punta de la nariz a mi pierna. El hocico y las orejas ya se han vuelto casi blancos y sobre los ojos, desde hace algún tiempo, se le ha posado ese velo que siempre se posa sobre los ojos de los perros viejos. Me conmuevo al mirarlo. Es como si aquí al lado estuviera una parte tuya, la parte que más amo, aquella que, hace tantos años, entre los doscientos huéspedes del asilo, supo elegir el más infeliz y feo.

En estos meses, al vagar en medio de la soledad de la casa, los años de incomprensión y malhumor de nuestra relación han desaparecido. Los recuerdos que me rodean son tus recuerdos de niña, cachorro vulnerable y confundido. Es a ella a quien le escribo, no a la persona segura y arrogante de los últimos tiempos. Me lo ha sugerido la rosa. Esta mañana, cuando pasé a su lado, me dijo: "Toma un papel y escríbele una carta". Sé que entre nuestros pactos del momento de tu partida estaba el de no escribirnos, y a mi pesar lo respeto. Estas líneas jamás emprenderán vuelo para reunirse contigo en Estados Unidos. Si yo ya no estoy cuando vuelvas, estarán ellas esperándote. ¿Por qué hablo así? Porque hace menos de un mes, por primera vez en mi vida, estuve mal, grave. Por lo tanto, ahora sé que entre todas las cosas posibles se encuentra también ésta: dentro de seis o siete meses tal vez ya no esté aquí para abrirte la puerta, para abrazarte. Hace tiempo una amiga me decía que en las personas que nunca sufrieron de nada, la enfermedad, cuando llega, se manifiesta de una manera inmediata y violenta. A mí me sucedió justamente eso: una mañana, mientras regaba la rosa, alguien apagó la luz de improviso. Si la mujer del señor Razman no me hubiese visto a través de la cerca que divide nuestros jardines, casi con seguridad a estas horas serías huérfana. ¿Huérfana? ¿Se dice así cuando muere una abuela? No estoy muy segura. Quizás a los abuelos se los considera tan accesorios que no hace falta un término para especificar su pérdida. De los abuelos no se es ni huérfano ni viudo. Con toda naturalidad se dejan a un costado del camino, así como, por distracción, a un lado del camino se abandonan los paraguas.

Cuando desperté en el hospital, no me acordaba de nada en absoluto. Con los ojos todavía cerrados, tenía la sensación de que me habían crecido dos bigotes largos y finos, bigotes de gato. Apenas los abrí me di cuenta de que se trataba de dos tubitos de plástico; salían de mi nariz y corrían junto a los labios. A mi alrededor sólo había unas máquinas extrañas. Después de unos días fui transferida a una habitación normal, donde ya se encontraban otras dos personas. Mientras estaba allí, una tarde vino a verme el señor Razman con la esposa. "Todavía está viva —me dijo—. Gracias a su perro, que ladraba como loco."

Cuando ya había empezado a levantarme, entró en la habitación un joven médico a quien había visto otras dos veces durante las visitas. Tomó una silla y se sentó cerca de mi cama. "Dado que no hay parientes que puedan ayudarla y decidir por usted —dijo—, deberé hablarle sin intermediarios y con franqueza". Hablaba y, mientras lo hacía, más que escucharlo lo miraba. Tenía labios delgados y, como tú sabes, nunca me gustaron las personas con los labios delgados. Según él, mi estado de salud era tan grave que no me permitía volver a casa. Me dijo el nombre de dos o tres pensionados con asistencia de enfermeras, a los que habría podido ir a vivir. Por la expresión de mi cara debe haber entendido algo, ya que enseguida agregó:

—No piense en el viejo hospicio, ahora todo es distinto, hay habitaciones luminosas y grandes jardines para pasear.

—Doctor —le dije entonces—, ¿conoce a los esquimales?

—Claro que los conozco —respondió, mientras se ponía de pie.

—Porque, mire, yo quiero morir como ellos.

Y dado que no parecía comprender, agregué:

—Prefiero caer de cara contra las calabazas de mi huerto antes que vivir un año más clavada en una cama, en una habitación de paredes blancas.

En ese momento él ya había llegado a la puerta. Sonreía con aire malicioso.

—Muchos hablan así —dijo antes de desaparecer—, pero en el último momento todos corren aquí para hacerse cuidar, temblando como hojas.

Tres días después firmé un papel ridículo en el cual declaraba que, en caso de morirme, la responsabilidad sería mía y sólo mía. Se lo entregué a una joven enfermera de cabeza pequeña y dos enormes aros de oro y luego, con mis pocas posesiones envueltas en una bolsita de plástico, me dirigí a la parada de los taxis.

Apenas me vio aparecer tras la verja, Buck comenzó a correr en círculos como loco; luego, para hacer más notoria su felicidad, devastó dos o tres canteros sin dejar de ladrar. Por una vez, no tuve el coraje de retarlo. Cuando se me acercó con la nariz sucia de tierra, le dije: "¿Viste, mi viejo? Estamos otra vez juntos". Y le rasqué la parte trasera de las orejas.

Durante los días siguientes hice poco o nada. Después de ese incidente, la parte izquierda del cuerpo ya no responde como antes a mis órdenes. La mano, sobre todo, se ha vuelto lentísima. Como me da rabia que gane, hago de todo para usarla más que la otra. Me até una cintita roja a la muñeca para recordar que debo usar la izquierda en lugar de la derecha cada vez que tengo que tomar una cosa. Mientras el cuerpo funciona no nos damos cuenta del gran enemigo que puede ser; si se cede en la voluntad de enfrentarlo aunque sea por un solo instante, ya estamos perdidos.

En fin, dada mi reducida autonomía, le di una copia de las llaves a la esposa de Walter. Es ella quien pasa todos los días a verme y me trae lo que necesito.

Mientras me paseaba entre la casa y el jardín, pensar en ti se había transformado en algo insistente, en una verdadera obsesión. Más de una vez llegué hasta el teléfono y levanté el tubo con intenciones de mandarte un telegrama. Sin embargo, todas las veces, apenas contestaba el conmutador, decidía no hacerlo. Por la noche, sentada en un sillón —ante mí el vacío y alrededor el silencio— me preguntaba qué sería mejor. Qué sería mejor para ti, naturalmente, no para mí. Para mí, por cierto, sería mucho más hermoso irme contigo al lado. Estoy segura de que, si te hubiera avisado lo de mi enfermedad, habrías interrumpido tu estancia en Estados Unidos para apresurarte a volver. ¿Y luego? Luego tal vez yo hubiera vivido otros tres, cuatro años, quizás en silla de ruedas, quizás entontecida, y tú, por deber, me habrías cuidado. Lo habrías hecho con dedicación, pero, con el tiempo, esa dedicación se habría convertido en rabia, en rencor. En rencor porque los años habrían pasado y tú habrías desperdiciado tu juventud; porque mi amor, con un efecto de bumerang, habría limitado tu vida a un callejón sin salida. Así decía en mi interior la voz que no quería llamarte por teléfono. Pero apenas decidía que ella tenía razón, enseguida aparecía en mi mente una voz contraria. ¿Qué te habría pasado, me preguntaba, si en el momento de abrirse la puerta, en vez de encontrarnos a mí y a Buck de fiesta, hubieras encontrado la casa vacía, deshabitada desde tiempo atrás? ¿Existe acaso algo más terrible que un regreso imposible de llevar a cabo? Si te hubiera llegado un telegrama con la noticia de mi desaparición, ¿no habrías pensado en una especie de traición? ¿En un desaire? Dado que en los últimos meses habías estado muy descortés conmigo, yo me marchaba sin avisarte. Eso no habría sido un bumerang sino una vorágine; creo que debe resultar casi imposible sobrevivir a algo similar. Lo que debías decirle a la persona querida queda para siempre dentro de ti; ella está bajo tierra y no puedes mirarla a los ojos, abrazarla, decirle lo que aún no le habías dicho.

Los días pasaban y yo no tomaba ningún tipo de decisión. Luego, esta mañana, la sugerencia de la rosa. Escríbele una carta, un pequeño diario de tus días que siga haciéndole compañía. Y entonces heme aquí, en la cocina, con un viejo cuaderno tuyo delante, mordisqueando la lapicera como un chico que tiene dificultades con los deberes. ¿Un testamento? No propiamente, más bien algo que te siga a través de los años, algo que puedas leer cada vez que sientas la necesidad de tenerme cerca. No temas, mi intención no es pontificar ni entristecerte; sólo deseo charlar un poco con la intimidad que nos unía en un tiempo y que, en los últimos años, hemos perdido. Por haber vivido mucho y haber dejado detrás de mí a tantas personas, ahora sé que los muertos no pesan tanto por su ausencia, sino por aquello que —entre ellos y nosotros— no fue dicho.

Mira, yo me encontré haciéndote de madre hace ya muchos años, a la edad en que habitualmente sólo se es abuela. Eso tuvo muchas ventajas. Ventajas para ti, porque una abuela mamá es siempre más atenta y más buena que una mamá mamá, y ventajas para mí porque, en vez de estupidizarme como mis coetáneas entre una canasta y una velada en casa, fui empujada una vez más, con prepotencia, por el flujo de la vida. Sin embargo, en cierto momento algo se rompió. La culpa no era ni mía ni tuya, sino de las leyes de la naturaleza.

La infancia y la vejez se parecen. En ambos casos, por motivos distintos, uno está más bien inerme; todavía no se es —o ya no se es— partícipe de la vida activa, y esto permite vivir con una sensibilidad sin esquemas, abierta. Es durante la adolescencia cuando comienza a formarse una coraza invisible alrededor de nuestro cuerpo. Se forma en la adolescencia y sigue engrosando durante toda la edad adulta. El proceso de su crecimiento se parece un poco al de las perlas; más grande y profunda es la herida, más grande es la coraza que se desarrolla alrededor. Pero luego, con el transcurrir del tiempo, como un vestido usado demasiadas veces, en los puntos de mayor uso comienza a estropearse, deja ver la trama, de repente se desgarra debido a un movimiento brusco. Al principio no te das cuenta de nada, estás convencida de que la coraza todavía te envuelve por completo, hasta que un día, de improviso, ante algo estúpido, sin saber por qué, te sorprendes llorando de nuevo como un niño.

Por eso, cuando digo que entre tú y yo surgió una divergencia natural, me refiero justamente a esto. En la época en que tu coraza comenzó a formarse, la mía ya estaba hecha jirones. Tú no soportabas mis lágrimas y yo no soportaba tu inesperada dureza. Si bien yo estaba preparada para el hecho de que ibas a cambiar de carácter con la adolescencia, una vez producido el cambio, me resultó muy difícil soportarlo. De repente eras una persona nueva frente a mí, y yo ya no sabía cómo tomarla. Por la noche, en la cama, en el momento de reunir los pensamientos, me sentía feliz por todo lo que te estaba sucediendo. Me decía: quien pasa indemne a través de la adolescencia, nunca se transformará en una persona de veras adulta. Sin embargo, por la mañana, cuando me cerrabas la primera puerta en la cara, ¡qué depresión, qué ganas de llorar! No encontraba en ningún lado la energía necesaria para enfrentarte. Si llegas a los ochenta años, comprenderás que a esta edad nos sentimos como hojas a fines de septiembre. La luz del día dura menos y el árbol de a poco comienza a llamar las sustancias nutricias hacia sí. El tronco vuelve a chupar el nitrógeno, la clorofila y las proteínas , y con ellos se va también el verde, la elasticidad. Todavía estamos suspendidos allá arriba, pero se sabe que es cuestión de poco tiempo. Una después de otra caen las hojas cercanas, las miras caer, vives en el terror de que se levante viento. Para mí el viento eras tú, la vitalidad peleadora de tu adolescencia. ¿Alguna vez te diste cuenta, querida? Hemos vivido en el mismo árbol, pero en estaciones tan distintas.

Me viene a la memoria el día de la partida; qué nerviosas estábamos, ¿eh? Tú no habías querido que te acompañase al aeropuerto, y a cada cosa que te recomendaba llevar, respondías: "Voy a los Estados Unidos, no al desierto". En la puerta, cuando te grité con mi voz odiosamente chillona: "¡Cúidate!", sin ni siquiera darte vuelta me saludaste diciendo: "Cuida a Buck y a la rosa".

En el momento, sabes, quedé un poco desilusionada por ese saludo tuyo. Como buena vieja sentimental que soy, me esperaba algo distinto y más trivial, algo como un beso o una frase afectuosa. Recién por la noche, en que no conseguía dormirme y vagaba en camisón por la casa vacía, me di cuenta de que cuidar a Buck y a la rosa quería decir cuidar la parte tuya que sigue viviendo junto a mí, tu parte feliz. Y me di cuenta de que en la sequedad de aquella orden no había insensibilidad sino la tensión extrema de una persona a punto de llorar. Es la coraza de la que hablaba antes. Tú todavía la tienes tan ajustada que casi no respiras. ¿Recuerdas lo que te decía los últimos tiempos? Las lágrimas que no salen se depositan en el corazón, con el tiempo lo van recubriendo y paralizando como el sarro recubre y paraliza los engranajes del lavarropas.

Lo sé, mis ejemplos sacados del universo de la cocina, en lugar de hacerte reír te hacen bufar. Resígnate: cada uno se inspira en el mundo que conoce mejor.

Ahora debo dejarte. Buck suspira y me mira con ojos implorantes. También en él se manifiesta la regularidad de la naturaleza. En todas las estaciones, sabe la hora de la comida con la precisión de un reloj suizo.

18 DE NOVIEMBRE

Anoche cayó una fuerte lluvia. Era tan violenta que más de una vez me desperté a causa del ruido que hacía al golpear contra los postigos. Esta mañana, cuando abrí los ojos convencida de que el tiempo todavía era malo, gocé largo rato del calor de las frazadas. ¡Cómo cambian las cosas con los años! A tu edad yo era una especie de lirón; si nadie me molestaba, podía dormir hasta la hora de almorzar. Ahora en cambio, siempre estoy despierta antes del alba. De ese modo los días se hacen larguísimos, interminables. Hay crueldad en todo esto, ¿no crees? Por otra parte, las horas de la mañana son las más terribles, no hay nada que sirva de distracción; te quedas allí y sabes que tus pensamientos sólo pueden volver atrás. Los pensamientos de un viejo no tienen futuro, por lo general son tristes y, si no tristes, melancólicos. Me he preguntado a menudo acerca de esta particularidad de la naturaleza. El otro día, en la televisión, vi un documental que me hizo reflexionar. Se trataba de los sueños de los animales. En la escala zoológica, de los pájaros para abajo, todos los animales sueñan mucho. Sueñan los herrerillos y las palomas, las ardillas y los conejos, los perros y las vacas echadas en el prado. Sueñan, pero no todos de la misma manera. Los animales que por naturaleza son objeto de rapiña tienen sueños breves, más que sueños verdaderos y reales son apariciones. Por el contrario, los rapaces tienen sueños complicados y largos. "Para los animales —decía el locutor— la actividad onírica es un modo de organizar las estrategias de supervivencia; quien caza debe elaborar maneras siempre nuevas de obtener alimento; quien es cazado —y el alimento lo encuentra por lo general ante sí en forma de hierba— sólo debe pensar en la forma más veloz de huir." En conclusión, el antílope, al dormir, ve ante sí la pradera abierta; en cambio, el león, en una continua y variada repetición de escenas, ve todas las cosas que deberá hacer para poder comerse al antílope. Debe ser así, me dije entonces, de joven se es carnívoro y de viejo, herbívoro. Porque cuando se es viejo, además de dormir poco, no se tienen sueños o, si se tienen, no queda su recuerdo. De joven y de niño, en cambio se sueña más, y los sueños tienen el poder de determinar el humor del día. ¿Recuerdas cómo llorabas al despertarte, los últimos meses? Estabas allí sentada, frente a la taza de café, y las lágrimas te bajaban silenciosas por las mejillas. Entonces yo te preguntaba por qué llorabas y tú, desconsolada o rabiosa, decías: "No lo sé". A tu edad hay muchas cosas que deben ponerse en su lugar dentro de uno mismo; hay proyectos y, en los proyectos, inseguridades. La parte inconsciente no tiene un orden o una lógica clara; con los residuos del día, exagerados y deformes, mezcla las aspiraciones más profundas; entre las aspiraciones profundas ensarta las necesidades del cuerpo. De esa manera, si uno tiene hambre, sueña con que se encuentra sentado a la mesa y no logra comer; si tiene frío, que está en el Polo Norte y no tiene abrigo; si hemos sufrido un desaire, nos convertimos en guerreros sedientos de sangre.

¿Qué sueños tienes allá, entre los cactus y los cowboys? Me gustaría saberlo. ¿Qué tal si de vez en cuando aparezco yo en medio de todo eso, quizás vestida de piel roja? ¿Qué tal si aparece Buck como presa de un coyote? ¿Sientes nostalgia? ¿Piensas en nosotros?

Ayer por la noche, mientras leía sentada en el sillón, de repente oí en el cuarto un ruido rítmico; al alzar la cabeza del libro, vi a Buck que, mientras dormía, golpeteaba el piso con la cola. Por la expresión feliz del hocico, estoy segura de que te veía frente a él; tal vez acababas de regresar y te hacía fiestas, o recordaba algún paseo especialmente hermoso que hicieron juntos. Los perros son muy permeables a los sentimientos humanos; con la convivencia desde la noche de los tiempos nos hemos vuelto casi iguales. Por eso tantas personas los detestan. Ven demasiadas cosas de ellas mismas reflejadas en su mirada tiernamente pusilánime, cosas que preferirían ignorar. Buck sueña a menudo contigo en estos tiempos. Yo no consigo hacerlo, o tal vez lo hago, pero no puedo recordarlo.

Cuando era pequeña, vivió un tiempo en nuestra casa una hermana de mi padre, viuda desde hacía poco. Tenía pasión por el espiritismo y, en cuanto mis padres no podían vernos, en los rincones más oscuros y escondidos me instruía acerca de los poderes extraordinarios de la mente. "Si quieres tomar contacto con una persona lejana —me decía— debes apretar su foto en una mano, hacer una cruz compuesta por tres travesaños y luego decir que ya estás ahí." De esa manera, según ella, habría podido obtener la comunicación telepática con la persona deseada.

Esta tarde, antes de ponerme a escribir, hice justamente eso. Eran alrededor de las cinco, donde tú estás debía ser de mañana. ¿Me viste? ¿Me sentiste? Yo te descubrí en uno de esos bares embaldosados y llenos de luces en los que se comen sandwiches de albóndiga; te distinguí enseguida entre ese gentío multicolor porque llevabas puesto el último chaleco que te hice, el de los ciervos rojos y azules. Sin embargo, la imagen fue tan breve y tan exageradamente similar a las de las películas para televisión, que no tuve tiempo de ver la expresión de tus ojos. ¿Eres feliz? Eso es lo que me interesa más que ninguna otra cosa.

¿Recuerdas cuántas discusiones tuvimos para decidir si era justo o no que yo financiara tu larga

estadía de estudio en el extranjero? Tú sostenías
que era absolutamente necesario, que para crecer
y abrir la mente tenías necesidad de irte, de dejar el
ambiente asfixiante en el que habías crecido. Acababas de terminar la escuela secundaria y andabas a
ciegas en medio de la oscuridad más absoluta con
respecto a lo que habrías querido cuando fueras
mayor. De pequeña tenías innumerables pasiones:
querías ser veterinaria, exploradora, médica de
niños pobres. De estos deseos no había quedado
el menor rastro. La apertura inicial que habías mani-
festado hacia tus iguales, con los años se fue
cerrando; todo aquello que era filantropía, deseo
de comunión, en un lapso muy breve se convirtió
en cinismo, soledad, concentración obsesiva en tu
destino infeliz. Si en la televisión aparecía por
casualidad alguna noticia particularmente cruda, te
burlabas de mis palabras compasivas diciendo: "¿A
tu edad de qué te asombras? ¿Todavía no sabes que
la selección de las especies es lo que gobierna al
mundo?".

Las primeras veces, ese tipo de comentarios me
dejaba sin aliento, me parecía que tenía un monstruo a mi lado; observándote con el rabillo del ojo,
me preguntaba de dónde habrías salido, si era eso
lo que te había enseñado con mi ejemplo. Nunca
te contesté, pero intuía que la época del diálogo
había terminado; cualquier cosa dicha por mí sólo
habría producido un choque. Por un lado tenía
miedo de mi fragilidad, de la pérdida inútil de las
fuerzas; por el otro, intuía que la disputa abierta

era justo lo que buscabas, que después de la primera habría habido otras, cada vez más, cada vez más violentas. Debajo de tus palabras, yo percibía que fermentaba la energía, una energía arrogante, lista para explotar y contenida con esfuerzo; mi atenuación de las asperezas, mi fingida indiferencia ante tus ataques, te obligaron a buscar otros caminos.

Entonces me amenazaste con irte, con desaparecer de mi vida sin dar más noticias. Acaso esperabas la desesperación, las súplicas humildes de una vieja. Cuando te dije que irte sería una buena idea, comenzaste a vacilar, parecías una serpiente que, una vez alzada la cabeza de golpe, con las fauces abiertas y lista para atacar, al mismo tiempo no ve ante sí nada contra lo cual arrojarse. Entonces empezaste a pactar, a hacer propuestas; las hiciste variadas e inciertas hasta el día en que, con renovada seguridad, frente al café me anunciaste: "Me voy a Estados Unidos".

Acepté aquella decisión como las otras, con amable interés. No quería, con mi aprobación, empujarte a que hicieras elecciones apresuradas que en el fondo no sentías. En las semanas siguientes continuaste hablándome de la idea de los Estados Unidos. "Si voy un año allá —repetías obsesionada— por lo menos aprendo un idioma y no pierdo tiempo." Te irritabas terriblemente cuando te hacía notar que perder tiempo no es tan grave. Sin embargo, el colmo de la irritación lo alcanzaste en el momento en que te dije que la vida no es una carrera sino un tiro al blanco: no es el ahorro de tiempo lo que cuenta sino la capacidad de encontrar un centro. Había dos tazas sobre la mesa, que enseguida hiciste volar al barrerlas con el brazo, y luego rompiste a llorar. "Eres estúpida —decías, escondiendo el rostro con las manos—, eres estúpida. ¿No entiendes que es justo eso lo que quiero?" Durante semanas habíamos sido como dos soldados que, después de enterrar una mina en un campo, prestan atención para no pasar sobre ella. Sabíamos dónde estaba, qué era, y caminábamos distantes, fingiendo que lo que debía temerse era otra cosa. Cuando estalló y tú sollozabas diciéndome no entiendes nada, nunca entenderás nada, debí hacer enormes esfuerzos para no dejarte intuir mi desaliento. Tu madre, el modo en que te concibió, su muerte, de todo eso no te hablé jamás, y el hecho de que lo callara te llevó a creer que no existía, que era poco importante. O acaso lo tienes en cuenta, pero en lugar de manifestarlo lo guardas en tu interior, de otro modo no puedo explicarme ciertas miradas tuyas, ciertas palabras cargadas de odio. De ella, salvo el vacío, no tienes otros recuerdos: eras todavía muy pequeña el día en que murió. Yo, en cambio, conservo en mi memoria treinta y tres años de recuerdos, treinta y tres más los nueve meses que la llevé en mi seno.

¿Cómo puedes pensar que la cuestión me deja indiferente?

Si no enfrenté antes el tema, por mi parte sólo hubo pudor y una buena dosis de egoísmo. Pudor porque era inevitable que al hablar de ella debiera hablarte de mí, de mis culpas verdaderas o presuntas; egoísmo porque esperaba que mi amor fuera tan grande como para compensar la falta del suyo, para impedirte que un día sintieras nostalgia y me preguntaras: "¿Quién era mi madre, por qué murió?".

Mientras fuiste pequeña, juntas éramos felices. Eras una niña llena de alegría, pero en tu alegría no había nada de superficial, de frívolo. Era una alegría en la cual siempre estaba al acecho la sombra de la reflexión; de la risa pasabas al silencio con una facilidad sorprendente. "¿Qué te pasa, en qué piensas?", te preguntaba entonces. Y tú, como si hablaras de la merienda, me contestabas: "Pienso si el cielo termina o si sigue hasta el infinito". Estaba orgullosa de que fueras así; tu sensibilidad se parecía a la mía, no me sentía grande o distante, sino tiernamente cómplice. Me forjaba ilusiones, quería engañarme y creer que todo sería siempre así. Pero, por desgracia, no somos seres suspendidos en pompas de jabón, errabundos y felices en el aire; hay un antes y un después en nuestras vidas, y este antes y después pone trampas a nuestros destinos, se posa sobre nosotros como una red sobre la presa. Se dice que las culpas de los padres caen sobre los hijos. Es cierto, muy cierto: las culpas de los padres caen sobre los hijos, las de los abuelos sobre los nietos, las de los bisabuelos sobre los bisnietos. Hay verdades que llevan en sí mismas un sentido de liberación y otras que imponen el sentimiento de lo terrible. Ésta pertenece a la segunda categoría. ¿Dónde termina la cadena de las culpas?

¿En Caín? ¿Es posible que todo deba remontarse tan lejos? ¿Hay algo detrás de esto? Cierta vez, en un libro hindú leí que el hado posee todo el poder, mientras que el esfuerzo de voluntad es sólo un pretexto. Después de haberlo leído, me sentí invadida por una gran paz interior. Sin embargo, ya al día siguiente pocas páginas más adelante, encontré escrito que el hado no es más que el resultado de las acciones pasadas; somos nosotros, con nuestras manos, quienes forjamos nuestro propio destino. De esa manera volví al punto de partida. Me pregunté dónde está el cabo de la madeja en todo esto ¿Cuál es el hilo que se desenreda? ¿Es un hilo o una cadena? ¿Se puede cortar, romper, o nos envuelve para siempre?

Mientras tanto, corto yo. Mi cabeza ya no es la que solía ser; las ideas están siempre, claro, no ha cambiado el modo de pensar sino la capacidad de mantener un esfuerzo prolongado. Ahora estoy cansada, la cabeza me da vueltas como cuando de joven trataba de leer un libro de filosofía. Ser, no ser, inmanencia... A las pocas páginas experimentaba el mismo aturdimiento que se siente al viajar en ómnibus por caminos de montaña. Por el momento te dejo, voy un rato a estupidizarme frente a esa amada odiada cajita que está en la sala.

20 DE NOVIEMBRE

De nuevo aquí, tercer día de nuestro encuentro. O mejor dicho, cuarto día y tercer encuentro. Ayer estaba tan cansada que no pude escribir nada y tampoco leer. Por sentirme inquieta y sin saber qué hacer, estuve vagando todo el día entre la casa y el jardín. El aire era bastante suave y en las horas más cálidas me senté en el banco de jardín situado junto a la verja. A mi alrededor, el prado y los canteros se hallaban en el más completo desorden. Al mirarlos, recordé la pelea por las hojas caídas. ¿Cuándo sucedió? ¿El año pasado? ¿Hace dos años? Había tenido una bronquitis que tardaba en irse, todas las hojas ya estaban sobre el pasto, se arremolinaban aquí y allá llevadas por el viento. Cuando me asomé a la ventana, me invadió una gran tristeza; el cielo estaba oscuro, afuera había un gran aire de abandono. Fui a buscarte a tu cuarto; estabas echada en la cama con los auriculares pegados a las orejas.

Te pedí por favor que rastrillaras las hojas. Para hacerme oír debí repetir la frase varias veces, cada vez en voz más alta. Te encogiste de hombros diciendo: "¿Y por qué? En la naturaleza nadie las recoge, se quedan allí hasta pudrirse y eso está bien". En aquella época, la naturaleza era tu gran aliada, lograbas justificar todo con sus leyes inquebrantables. En lugar de explicarte que un jardín es una naturaleza domesticada, una naturaleza-perro que cada año se parece más a su dueño y que justamente como un perro tiene necesidad de continuas atenciones, me retiré a la sala sin agregar otra cosa. Poco después, pasaste delante de mí para ir a buscar algo de comer a la heladera, y viste que estaba llorando, pero no le diste importancia. Sólo a la hora de la cena, cuando otra vez saliste de repente del cuarto y preguntaste "¿qué se come?", te diste cuenta de que todavía estaba allí y seguía llorando. Entonces fuiste a la cocina y empezaste a trajinar ante las hornallas. "¿Qué prefieres? —gritabas de un cuarto al otro—. ¿Budín de chocolate o una tortilla?" Habías comprendido que mi dolor era verdadero y tratabas de mostrarte agradable, de darme placer de alguna manera. A la mañana siguiente, apenas abrí los postigos, te vi sobre el césped; llovía fuerte, tenías puesto el impermeable de hule amarillo y rastrillabas las hojas. Cuando a eso de las nueve volviste a entrar, hice como que no pasaba nada, sabía que lo que más odiabas era esa parte tuya que te inducía a ser buena.

Esta mañana, mientras miraba desolada los

canteros del jardín, pensé que de veras debería llamar a alguien para eliminar la negligencia en que he caído durante y después de la enfermedad. Lo pienso desde que salí del hospital y, sin embargo, nunca me decido. Con el curso de los años nació en mí un gran afán por ocuparme del jardín; no renunciaría por nada del mundo a regar las dalias, a sacar de una rama una hoja muerta. Es extraño, porque de joven me molestaba mucho ocuparme de su cuidado: tener un jardín, más que un privilegio, me parecía un fastidio. En realidad, era suficiente relajar la atención un día o dos para que enseguida, en ese orden fatigosamente conseguido, se insertara de nuevo el desorden, y el desorden me disgustaba más que ninguna otra cosa. No tenía un centro en mi interior, y por lo tanto no soportaba ver afuera aquello que tenía adentro. ¡Tendrías que habérmelo recordado cuando te pedí que rastrillaras las hojas!

Hay cosas que se pueden comprender a cierta edad y no antes: entre ellas, la relación con la casa, con todo lo que está adentro y a su alrededor. A los sesenta, a los setenta años, comprendes de repente que el jardín y la casa ya no son un jardín y una casa donde vives por comodidad, o por casualidad o por belleza, sino que son tu jardín y tu casa, te pertenecen como la valva pertenece al molusco que vive adentro. Formaste la valva con tus secreciones, en sus volutas está grabada tu historia, la casa-caparazón te envuelve, está encima de ti, a tu alrededor; quizás ni siquiera la muerte la liberará de tu presencia, de las alegrías y de los sufrimientos que experimentaste en su interior.

Ayer por la noche no tenía deseos de leer, de modo que miré la televisión. Para decir la verdad, más que mirarla la escuché, porque después de ni siquiera media hora de programa, me adormecí. Oía las palabras en fragmentos, un poco como cuando en el tren uno cae en un estado de semi-vigilia y las conversaciones de los otros pasajeros nos llegan en forma intermitente, privadas de sentido. Transmitían una encuesta periodística sobre las sectas de fines del milenio. Había distintas entrevistas a santones verdaderos y simulados, y de su torrente de palabras muchas veces llegó a mis oídos el término karma. Apenas lo escuché, me vino a la mente la cara de mi profesor de filosofía de la escuela secundaria.

Era joven y, para aquella época, muy anticonformista. Al explicar a Schopenhauer nos había hablado un poco de las filosofías orientales y, de paso, nos introdujo en el concepto del karma. En esa ocasión no presté mucha atención al tema; la palabra y lo que expresaba me habían entrado por una oreja y salido por la otra. Durante muchos años me quedó subyacente la sensación de que era una especie de ley del talión, algo así como el ojo por ojo, diente por diente, o quien la hace, la paga. Me volvió a la memoria sólo cuando la directora del jardín de infantes me llamó para hablarme de tus comportamientos extraños, el karma y lo que con él se vincula. Habías revolucionado a toda la escuela. De buenas a primeras, durante la hora dedicada a la narración libre, te habías puesto a hablar de tu vida precedente. Las maestras, en un primer momento, pensaron en una excentricidad infantil y trataron de minimizar tu historia, de hacerte caer en contradicciones. Pero tú no caíste, incluso dijiste unas palabras en una lengua que nadie conocía. Cuando el hecho se repitió por tercera vez, fui convocada por la directora de la escuela. Por tu bien y el de tu futuro me aconsejaron hacerte controlar por un psicólogo. "Con el trauma que ha tenido —me dijo— es normal que se comporte así, que trate de evadir la realidad." Por supuesto, nunca te llevé a lo de ningún psicólogo, me parecías una niña feliz, me inclinaba más a creer que aquella fantasía tuya no debía atribuirse a un malestar presente sino a un orden distinto de las cosas. Después de ese episodio, nunca te impulsé a hablarme de él, ni tampoco tú, por iniciativa propia, sentiste necesidad de hacerlo. Tal vez olvidaste todo el mismo día en que lo dijiste frente a tus aterradas maestras.

Tengo la sensación de que en los últimos años se ha puesto de moda hablar de estas cosas: en una época eran temas para unos pocos elegidos, en cambio ahora están en boca de todos. Hace tiempo, en un diario, leí que en Estados Unidos hasta existen grupos de autoconciencia respecto de la reencarnación. La gente se reúne y habla de las vidas precedentes. De ese modo, el ama de casa dice: "En el siglo XIX, en Nueva Orleans, yo era una mujer de la calle, por eso ahora no consigo serle fiel a mi marido", mientras el empleado de la estación de servicio, racista, encuentra la razón de su odio en el hecho de haber sido devorado por los bantúes durante una expedición en el siglo XVI. ¡Qué tristes tonterías! Una vez perdidas las raíces de la propia cultura, se trata de remendar con las existencias pasadas lo gris e incierto del presente. Si el ciclo de cada vida tiene un sentido, creo yo, es por cierto un sentido bien diferente.

En la época de los sucesos del jardín de infantes, me había conseguido unos libros; para entenderte mejor intenté saber algo más sobre el tema. Justamente en uno de esos ensayos aparecía escrito que los niños capaces de recordar con precisión su vida anterior son los que murieron en forma precoz y violenta. Ciertas obsesiones inexplicables a la luz de tus experiencias de niña —el gas que salía por los caños, el temor de que todo pudiera explotar de un momento a otro— me impulsaban a elegir este tipo de explicación. Cuando estabas cansada o ansiosa, o durante el abandono del sueño, te asaltaban terrores irracionales. No era el cuco lo que te asustaba, ni las brujas o los ogros, sino el temor repentino de que en cualquier momento el universo de las cosas fuera atravesado por una explosión. Las primeras veces, no bien aparecías aterrorizada en mi cuarto, en medio de la noche, me levantaba y con palabras dulces te acompañaba de regreso al tuyo. Allí, echada en la cama y sin soltarme la mano, querías que te contara historias que terminaran bien. Por miedo a que dijera algo inquietante, primero me describías el argumento con todo detalle y yo no hacía más que repetir servilmente tus instrucciones. Repetía el cuento una, dos, tres veces; cuando me levantaba, convencida de que te habías calmado, en la puerta me alcanzaba tu voz quejumbrosa: "¿Es así? —preguntabas— ¿En verdad termina siempre así?" Entonces yo retrocedía, te besaba en la frente y, te decía: "No puede terminar de ninguna otra manera, querida, te lo juro".

Otras noches, por el contrario aun cuando no me gustaba que durmieras conmigo —a los niños no les hace bien dormir con los viejos—, no tenía coraje para mandarte de nuevo a tu cama. En cuanto sentía tu presencia junto a la mesa de luz, sin darme vuelta te tranquilizaba: "Está todo bajo control, no explota nada, vuelve a tu cuarto". Después fingía caer en un sueño inmediato y profundo. Entonces percibía que tu respiración leve se inmovilizaba un instante; al cabo de unos segundos el borde de la cama crujía débilmente, con movimientos cautelosos te deslizabas a mi lado y te dormías, exhausta como un ratoncito que, luego de un gran susto, llega por fin al calor de la guarida. Al amanecer, para hacerte el juego, te tomaba en brazos, tibia, relajada, y te llevaba de vuelta a tu cuarto para que terminaras de dormir allí. En el momento de despertar, era muy raro que recordaras algo, casi siempre estabas convencida de haber pasado la noche en tu cama.

Cuando estos ataques de pánico te asaltaban durante el día, te hablaba con dulzura. "¿No ves que la casa es muy fuerte? —te decía—. Mira qué gruesas son las paredes, ¿cómo puedes pensar que van a explotar?" Pero todos mis esfuerzos para tranquilizarte eran inútiles. Con ojos extraviados, no dejabas de mirar el vacío y de repetir: "Todo puede explotar". Nunca dejé de preguntarme qué significaban esos terrores tuyos. ¿Qué era la explosión? ¿Podía ser el recuerdo de tu madre, de su fin trágico y repentino? ¿Pertenecía tal vez a aquella vida que con insólita ligereza habías relatado a las maestras del jardín de infantes? ¿O eran las dos cosas juntas, mezcladas en algún lugar inalcanzable de tu memoria? Quién sabe. A pesar de lo que se dice, creo que en la cabeza del hombre todavía hay más sombras que luz. Sin embargo, en el libro que había comprado aquella vez se afirmaba que los niños capaces de recordar otras vidas se encuentran con más frecuencia en la India y en Oriente, en los países donde el concepto mismo es tradicionalmente aceptado. No me es difícil creerlo. Imagínate si un día yo me hubiera acercado a mi madre y, sin aviso previo, hubiera comenzado a hablarle en otro idioma, o que le hubiera dicho: "No te soporto; estaba mucho mejor con mi mamá en la otra vida". Ten por seguro que no habría esperado ni un día para encerrarme en un manicomio.

¿Existe una rendija para liberarse del destino que impone el ambiente de origen, de aquello que tus antepasados te transmitieron por el camino de la sangre? Vaya uno a saber. Tal vez en el sucederse claustrofóbico de las generaciones, en cierto momento alguien logra entrever un escalón un poco más alto y con todas sus fuerzas trata de llegar a él.

Romper un círculo, hacer que entre otro aire en el cuarto, éste es, creo, el minúsculo secreto del ciclo de las vidas. Minúsculo pero muy fatigoso, atemorizador debido a su incertidumbre.

Mi madre se casó a los dieciséis años, a los diecisiete me dio a luz. En realidad, en toda mi infancia nunca le vi hacer un solo gesto afectuoso. Su casamiento no fue por amor. Nadie la había obligado; se obligó a sí misma porque, más que ninguna otra cosa, ella, rica pero judía y además convertida, ambicionaba poseer un título nobiliario. A mi padre, mayor que ella, barón y melómano, lo habían seducido sus dotes de cantante. Después de procrear al heredero que exigía el buen nombre, vivieron entre disgustos y desaires hasta el fin de sus días. Mi madre murió insatisfecha y llena de rencor, sin que jamás la hubiera rozado siquiera la duda de que por lo menos alguna culpa era suya. Era el mundo el que, con su crueldad, no le había ofrecido mejores opciones. Yo era muy distinta a ella y ya a los siete años, terminada la dependencia de la primera infancia, comencé a no soportarla.

Sufrí mucho por su causa. A cada momento se ponía nerviosa, y siempre y solamente por causas externas. Su presunta "perfección" me hacía sentir mala, y el precio de mi perfidia era la soledad. Al principio, hasta traté de ser como ella, pero eran tentativas desmañadas que siempre naufragaban. Más me esforzaba, peor me sentía. La renuncia de uno mismo conduce al desprecio. Del desprecio a la rabia el paso es breve. Cuando entendí que el amor de mi madre era un hecho ligado sólo a las apariencias, a cómo debía ser y no a cómo era yo de verdad, en el secreto de mi cuarto y de mi corazón comencé a odiarla.

Para huir de ese sentimiento, me refugié en un mundo sólo mío. Por la noche, en la cama, cubría la luz con un paño y leía libros de aventuras hasta la madrugada. Me gustaba mucho fantasear. Durante un tiempo soñé con hacerme pirata; vivía en el mar de la China y era una pirata muy particular, porque robaba no para mí, sino para dar todo a los pobres. De las fantasías de bandidos pasaba a las filantrópicas. Pensaba que, luego de recibirme de médica, iría al África a curar a los negritos. A los catorce años leí la biografía de Schliemann y, descubrí que jamás de los jamases habría podido curar a la gente, porque mi única pasión verdadera era la arqueología. De todas las infinitas actividades que imaginé emprender, creo que sólo ésa era de veras mía.

Y en efecto, para realizar ese sueño, libré mi primera y única batalla con mi padre: la de hacer el bachillerato humanístico. Él no quería ni oír hablar del tema, decía que no servía para nada, que, si realmente quería estudiar, era mejor que aprendiera idiomas. Sin embargo, al final salí con la mía. En el momento de atravesar el portón de la escuela, estaba muy segura de haber vencido. Me engañaba. Cuando, al finalizar los estudios secundarios, le comuniqué mi intención de ir a la universidad en Roma, su respuesta fue perentoria: "De eso, ni hablar". Y yo, como se acostumbraba entonces, obedecí sin chistar. No debe creerse que ganar una batalla significa haber ganado la guerra. Es un error de juventud. Ahora, que vuelvo a pensar en ello, creo que, si hubiera seguido luchando, si me hubiese obstinado, al final mi padre habría cedido. Aquel categórico rechazo suyo formaba parte del sistema educativo de la época. En el fondo, a los jóvenes no se los creía capaces de tomar decisiones propias. Es por eso que, cuando manifestaban un propósito distinto, se trataba de ponerlos a prueba. Dado que yo había capitulado ante el primer escollo, para ellos resultó más que evidente que no se trataba de una verdadera vocación sino de un deseo pasajero.

Para mi padre, como para mi madre, los hijos eran, por sobre todas las cosas un deber mundano. Cuanto más descuidaban nuestro desarrollo interior, más trataban con rigidez extrema los aspectos más banales de la educación. Debía sentarme derecha a la mesa, con los codos pegados al cuerpo. Si, mientras lo hacía, por dentro sólo pensaba en la mejor forma de matarme, no tenía importancia. La apariencia era todo, más allá de eso sólo existían cosas incorrectas.

Así crecí, con la sensación de ser algo parecido a un mono que debe ser bien adiestrado, y no un ser humano, una persona con sus alegrías, sus desalientos, su necesidad de ser amada. De ese malestar muy pronto nació en mí una gran soledad, una soledad que con los años se hizo enorme, una especie de vacío neumático en el cual me movía con los gestos lentos y torpes de un buzo. La soledad también nacía de las preguntas, preguntas que me planteaba y no sabía responder. Ya a los cuatro, cinco años, miraba a mi alrededor y me preguntaba: "¿Por qué estoy aquí? ¿De dónde vengo yo, de dónde vienen todas las cosas que veo a mi alrededor, qué hay atrás, siempre estuvieron aquí aun cuando yo no estaba, estarán para siempre?" Me hacía todas las preguntas que se hacen los niños sensibles al asomarse a la complejidad del mundo. Estaba convencida de que también los grandes las hacían y eran capaces de responder; por el contrario, luego de dos o tres tentativas con mi madre y la niñera, intuí que no sólo no sabían responder, sino que ni siquiera se las habían planteado.

De esa manera fue creciendo mi sensación de soledad, ¿comprendes? Estaba obligada a resolver la totalidad de los enigmas sólo con mis fuerzas; más pasaba el tiempo, más me preguntaba acerca de todas las cosas. Y eran preguntas cada vez más grandes, cada vez más terribles, el solo pensarlas daba miedo.

El primer encuentro con la muerte lo tuve alrededor de los seis años. Mi padre tenía un perro de caza, Argos, de temperamento manso y afectuoso, y era mi compañero de juegos preferido. Durante tardes enteras le llenaba la boca de papillas de barro y pasto, o lo obligaba a hacer de cliente de la peluquera, y él, sin rebelarse, andaba por el jardín con la cabeza llena de horquillas. Sin embargo, un día, justo mientras le probaba un nuevo tipo de peinado, me di cuenta de que debajo de la garganta tenía algo hinchado. Hacía ya algunas semanas que no tenía ganas de correr y saltar como antes; si me iba a un rincón a comer la merienda, ya no se me plantaba delante suspirando esperanzado.

Una mañana, al regresar de la escuela, no lo encontré esperándome en el portón. Al principio pensé que habría ido a alguna parte con mi padre. Pero cuando vi a papá sentado tranquilamente en el estudio y sin Argos a sus pies, me invadió una tremenda agitación. Salí y, gritando a voz en cuello, lo llamé por todo el jardín; luego entré y exploré toda la casa dos o tres veces. Ese día, en el momento de darle a mis padres el obligatorio beso de las buenas noches, me armé de coraje y pregunté a mi padre:

—¿Dónde está Argos?

—Argos —respondió él sin apartar la vista del diario— se fue.

—¿Y por qué? —pregunté.

—Porque estaba cansado de tus desaires.

¿Falta de delicadeza? ¿Superficialidad? ¿Sadismo? ¿Qué había en aquella respuesta? En el preciso instante en que oí esas palabras, algo se rompió dentro de mí. Comencé a no dormir por la noche; de día bastaba una insignificancia para hacerme estallar en sollozos. Después de un mes o dos se convocó al pediatra. "La niña está débil", dijo, y me prescribió aceite de hígado de bacalao. Por qué no dormía, por qué andaba siempre con la pelotita mordisqueada de Argos, nunca nadie me lo preguntó.

Atribuyo a ese episodio mi ingreso en la edad adulta. ¿A los seis años? Sí, así es, a los seis años.

Argos se había ido porque yo fui mala, por lo tanto mi comportamiento influía sobre lo que me rodeaba Influía haciendo desaparecer, destruyendo.

Desde aquel momento mis actos jamás volvieron a ser neutros, con un límite en sí mismos. En mi terror de cometer alguna otra equivocación, los reduje poco a poco al mínimo, me volví apática, vacilante. Por las noches apretaba la pelotita entre las manos y, llorando, decía: "Argos, te lo ruego, vuelve, aunque me equivoqué, te quiero más que nadie". Cuando mi padre llevó a casa otro cachorro, no quise ni mirarlo. Para mí era y debía seguir siendo un perfecto extraño.

En la educación de los niños imperaba la hipocresía. Recuerdo muy bien cierta vez que, mientras paseaba con mi padre junto a un seto, encontré un petirrojo ya tieso. Sin ningún temor, lo levanté y se lo mostré. "Déjalo —gritó enseguida—, ¿no ves que duerme?" La muerte, como el amor, era un tema que no se enfrentaba. ¿No habría sido mil veces mejor que me hubieran dicho lo de la muerte de Argos? Mi padre podía haberme tomado en brazos para decirme: "Lo maté porque estaba enfermo y sufría demasiado. Donde está ahora es mucho más feliz". Por supuesto, yo habría llorado más, me habría desesperado, durante meses y meses habría ido al lugar de su sepultura y le habría hablado largamente a través de la tierra. Luego, poco a poco, habría comenzado a olvidarlo, me habrían interesado otras cosas, habría tenido otras pasiones y Argos habría caído en el fondo de mis pensamientos como un recuerdo, un hermoso recuerdo de mi infancia. Así, en cambio, Argos se convirtió en un pequeño muerto que llevo dentro de mí.

Por eso digo que a los seis años era grande, porque en lugar de alegría ya tenía angustia, y en vez de curiosidad, indiferencia. ¿Eran monstruos mi padre y mi madre? No, claro que no, para aquellos tiempos eran personas absolutamente normales.

Sólo cuando ya era vieja mi madre comenzó a contarme algo de su infancia. La suya había muerto cuando ella todavía era niña; antes de mamá había tenido un varón, abatido por una pulmonía a los tres años. Ella fue concebida poco después y tuvo la desventura de nacer mujer, e incluso en la misma fecha en que su hermano había muerto. Para recordar esta triste coincidencia, desde que era una niña de pecho la habían vestido con los colores del luto. Sobre su cuna dominaba un gran retrato al óleo del hermano. Servía para recordarle, cada vez que abría los ojos, que ella era sólo un reemplazo, una copia borrosa de alguien mejor. ¿Comprendes? ¿Cómo culparla entonces por su frialdad, por sus elecciones equivocadas, por su estar alejada de todo? Hasta los monos, si se los hace crecer en un laboratorio aséptico, sin la compañía de la madre, al poco tiempo entristecen y se dejan morir. Y si nos remontáramos todavía más arriba, para ver a su madre o a la madre de su madre, vaya uno a saber qué otra cosa encontraríamos.

La infelicidad sigue habitualmente la línea femenina. Como ciertas anomalías genéticas, pasa de madre a hija. En ese pasaje, en lugar de aplacarse se hace cada vez más intensa, más inextirpable y profunda. Para los hombres todo era muy distinto, tenían la profesión, la política, la guerra; su energía podía salir, expanderse. Nosotras, no. Nosotras, durante generaciones y generaciones, frecuentamos sólo el dormitorio, la cocina, el baño; realizamos miles y miles de pasos, de gestos, llevando el mismo rencor, la misma insatisfacción. ¿Me he vuelto feminista? No, no temas, sólo trato de ver con lucidez lo que hay detrás.

¿Recuerdas cuando en la noche del asueto posterior al quince de agosto íbamos al promontorio a contemplar los fuegos artificiales que tiraban desde el mar? Entre todos ellos, cada tanto había uno que, a pesar de haber explotado, no lograba llegar al cielo. Ahí está, cuando pienso en la vida de mi madre, en la de mi abuela, cuando pienso en tantas vidas de personas que conozco, me viene a la mente justo esta imagen: fuegos que estallan en lugar de subir hacia lo alto.

21 DE NOVIEMBRE

En alguna parte leí que Manzoni, mientras escribía *Los novios*, se levantaba cada mañana contento de volver a encontrar a todos sus personajes. No puedo decir lo mismo de mí. Aunque hayan pasado tantos años, no me causa ningún placer hablar de mi familia; mi madre quedó en mi memoria inmóvil y hostil como un jenízaro. Esta mañana, para tratar de poner un poco de aire entre ella y yo, entre los recuerdos y yo, fui a dar un paseo por el jardín. Durante la noche había llovido; hacia el oeste el cielo estaba claro, mientras que detrás de la casa todavía había amenazadoras nubes violáceas. Antes de que empezara otro chaparrón, volví a entrar. Al poco tiempo se largó un temporal; en casa estaba tan oscuro que debí encender las luces. Desenchufé el televisor y la heladera para que no los dañaran las descargas eléctricas, luego tomé la linterna, me la puse en el bolsillo y vine a la cocina para cumplir con nuestro encuentro cotidiano.

Sin embargo, no bien me senté, me di cuenta de que todavía no estaba lista; tal vez en el aire había demasiada electricidad, mis pensamientos iban de aquí para allá como chispas. Entonces me levanté y, con el impávido Buck atrás, vagué un poco por la casa sin una meta precisa. Fui al cuarto donde dormía con el abuelo, luego al mío de ahora —que en una época era de tu madre—, después al comedor en desuso desde hace tiempo, y por fin a tu habitación. Al pasar de un lugar a otro recordé el efecto que me hizo la casa la primera vez que entré en ella: no me gustó para nada. No había sido yo quien la había elegido, sino mi marido Augusto, y él había hecho una elección apresurada. Necesitábamos un lugar para vivir y no podíamos esperar más. Por ser bastante grande y tener un jardín, le pareció que llenaba todas nuestras exigencias. Desde el instante mismo en que abrimos la puerta de la verja, me pareció de mal gusto, es más, de pésimo gusto; en los colores y en las formas no había una sola parte que combinase con la otra. Si la mirabas de un lado, parecía un chalet suizo, desde el otro, con su gran ventanal central y la fachada de techo escalonado, podía ser una de esas casas holandesas que dan a los canales. Si la mirabas de lejos, con sus siete chimeneas de distintas formas, llegabas a la conclusión de que el único lugar donde podía existir era en un cuento de hadas. Había sido construida en la década del veinte, pero no tenía un sólo detalle que la pudiese ubicar como una casa de aquella época. El hecho de no poseer una identidad me inquietaba, invertí muchos años en acostumbrarme a la idea de que era mía, de que la existencia de mi familia coincidía con sus paredes.

Justo cuando estaba en tu habitación, un rayo que cayó más cerca que los otros cortó la luz. En lugar de encender la linterna, me recosté en la cama. Afuera quedaba el estruendo de los chaparrones, los azotes del viento; adentro había sonidos diversos, crujidos, pequeñas zambullidas, los ruidos de la madera que se acomoda. Con los ojos cerrados, por un instante la casa me pareció un barco, un gran velero que avanzaba sobre el prado. La tempestad disminuyó sólo a la hora del almuerzo; desde la ventana de tu cuarto vi que dos gruesas ramas del nogal se habían caído.

Ahora estoy de nuevo en la cocina, en mi lugar de batalla; comí y lavé los pocos platos que había ensuciado. Buck duerme a mis pies, postrado por las emociones de esta mañana. Más pasan los años, y más las tormentas lo hunden en un estado de terror del cual le resulta difícil reponerse.

En los libros que compré cuando ibas al jardín de infantes, encontré escrito que la elección de la familia en la cual uno nace está guiada por el ciclo de la vida. Uno tiene tal padre y tal madre sólo porque ese padre y esa madre nos permitirán comprender alguna cosa más, nos permitirán dar un pequeño, un pequeñísimo paso más adelante. Pero si es así, ¿por qué nos quedamos detenidos durante tantas generaciones? ¿Por qué en lugar de avanzar retrocedemos?

Hace poco, en el suplemento científico de un diario, leí que quizás la evolución no funciona como siempre pensamos que funciona. Los cambios, según las últimas teorías, no se producen de manera gradual. La pata más larga, el pico de estructura distinta para aprovechar otro recurso, no se forman de a poco, milímetro a milímetro, generación tras generación. No. Aparecen de improviso: de la madre al hijo todo es distinto. Como confirmación de todo ello están los restos de esqueletos, mandíbulas, pezuñas, cráneos con dientes distintos. Nunca se encontraron las formas intermedias de muchas especies. El abuelo es así y el nieto está allá, entre una generación y otra hubo un salto.

Los cambios se acumulan en sordina, poco a poco, y luego, en cierto momento explotan. De golpe, una persona rompe el círculo, decide ser distinta. Destino, herencia, educación, ¿dónde empieza una cosa, dónde termina la otra? Si te detienes a reflexionar aunque sea un instante, te invade casi enseguida el temor provocado por el gran misterio encerrado en todo esto.

Poco antes de casarme, la hermana de mi padre —la amiga de los espíritus— le había hecho hacer mi horóscopo a un astrólogo amigo suyo. Un día se me apareció con una hoja en la mano y me dijo: "Aquí tienes, éste es tu futuro". En esa hoja había un diseño geométrico, las líneas que unían el signo de un planeta a otro formaban muchos ángulos. Apenas lo vi, recuerdo haber pensado que allí adentro no había armonía ni continuidad sino una sucesión de saltos, de vueltas tan bruscas que parecían caídas. Atrás, el astrólogo había escrito: "Un camino difícil, deberás armarte de todas las virtudes para cumplirlo hasta el final".

Quedé sumamente impresionada; mi vida, hasta aquel momento, me había parecido muy banal. Hubo algunas dificultades, sí, pero me parecían dificultades insignificantes, más que abismos eran simples arrugamientos de la juventud. Incluso cuando llegué a ser adulta, esposa y madre, viuda y abuela, nunca me aparté de esa aparente normalidad. El único acontecimiento extraordinario, si así puede decirse, fue la trágica desaparición de tu madre. Y sin embargo, bien mirado, en el fondo aquel cuadro de las estrellas no mentía; detrás de la superficie sólida y lineal, detrás de mi rutina cotidiana de mujer burguesa, en realidad había un movimiento continuo hecho de pequeñas subidas, de rompimientos, de oscuridades inesperadas y precipicios profundísimos. Mientras vivía, a menudo se imponía la desesperación , me sentía como esos soldados que marcan el paso detenidos en el mismo lugar. Cambiaban los tiempos, cambiaban las personas, todo cambiaba a mi alrededor y yo tenía la impresión de permanecer siempre detenida.

La muerte de tu madre asestó el golpe de gracia a la monotonía de esa marcha. La idea modesta que alguna vez había tenido de mí, se derrumbó en un solo segundo. Si hasta este momento, me decía, di uno o dos pasos, ahora, de pronto, he retrocedido; he llegado al punto más bajo de mi camino. En esa época temí no poder aguantar más, me parecía que aquella mínima parte de cosas que había entendido hasta entonces, se había borrado de un solo golpe. Por suerte, logré no abandonarme por mucho tiempo a ese estado depresivo, la vida con sus exigencias no dejaba de seguir adelante.

La vida eras tú: llegaste pequeña, indefensa, sin nadie más en el mundo; invadiste esta casa silenciosa y triste con tus risas repentinas, con tus llantos. Al ver tu cabezota de nena oscilante entre la mesa y el sillón, recuerdo haber pensado que, en fin, no todo había terminado. La fatalidad, en su imprevisible generosidad, me había dado otra chance.

La Fatalidad. Cierta vez, el marido de la señora Morpurgo me dijo que en hebreo esa palabra no existe. Para indicar algo referido a la casualidad se ven obligados a usar la palabra azar, que es árabe. Resulta curioso, ¿no te parece? Resulta curioso pero tranquilizador: donde hay Dios no hay lugar para la fatalidad, y ni siquiera para el humilde vocablo que la representa. Todo está ordenado, regulado desde lo alto, todo lo que te sucede, te sucede porque tiene un sentido. Siempre sentí una gran envidia por quienes abrazan esta visión del mundo sin vacilaciones. En lo que a mí atañe, con toda mi buena voluntad nunca conseguí hacerla mía por más de dos días consecutivos: frente al horror, frente a la injusticia, siempre retrocedí; en lugar de justificarlos con gratitud, siempre nació dentro de mí un gran sentimiento de rebeldía..

Sin embargo, ahora me dispongo a cumplir un acto

en verdad arriesgado, como el de mandarte un beso. Cómo los odias, ¿eh? Rebotan sobre tu coraza como pelotas de tenis. Pero no tiene ninguna importancia, te guste o no te guste, igual te mando un beso; no puedes hacer nada porque en este momento, transparente y ligero, ya está volando sobre el océano.

Estoy cansada. He releído lo que escribí hasta aquí con cierta ansiedad. ¿Entenderás algo? Tantas cosas se agolpan en mi cabeza, que para salir se empujan entre ellas como las señoras frente a los saldos de una liquidación. Cuando razono, nunca consigo seguir un método, un hilo que se desenrede con lógica desde el principio hasta el final. A veces pienso que eso se debe a no haber ido nunca a la universidad. Leí muchos libros, sentí curiosidad por muchas cosas, pero siempre con un pensamiento en los pañales, otro en las hornallas, un tercero en los sentimientos. Si un botánico pasea por un prado, elige las flores con un orden preciso, sabe lo que le interesa y lo que no le interesa en absoluto; decide, descarta, establece relaciones. Pero si por el prado pasea un excursionista, las flores son elegidas de otra forma, una porque es amarilla, la otra por su color azul, una tercera porque tiene perfume, la cuarta porque está al borde del sendero. Creo que mi relación con el saber ha sido justamente así. Tu madre siempre me lo reprochaba. Cuando discutíamos, yo sucumbía casi enseguida. "No tienes dialéctica —me decía—, como todas las personas burguesas, no sabes defender lo que piensas en forma seria.

Así como tú estás llena de una inquietud salvaje y carente de nombre, así tu madre estaba llena de ideología. Para ella, el hecho de que yo hablara de cosas menudas en vez de grandes, era motivo de reproche. Me llamaba reaccionaria y me acusaba de estar enferma de fantasías burguesas. Según su punto de vista, yo era rica y, por serlo, estaba entregada a lo superfluo, al lujo, era propensa al mal.

Por la forma en que me miraba algunas veces, estaba segura de que, de haber habido un tribunal del pueblo y ella hubiera estado a la cabeza, me habría condenado a muerte. Tenía la culpa de vivir en una casa con jardín en lugar de hacerlo en una choza o en un departamento de los suburbios. A esa culpa se agregaba el hecho de haber recibido en herencia una pequeña renta que nos permitía vivir a ambas. Para no cometer los errores cometidos por mis padres, me interesaba por lo que decía o, al menos, me esforzaba por hacerlo. Nunca me burlé de ella ni le hice comprender lo contraria que era yo a cualquier idea totalitaria, pero de todos modos debía percibir mi desconfianza hacia sus frases hechas.

Ilaria asistió a la universidad de Padua. Habría podido cursar sin ninguna dificultad en la de Trieste, pero era demasiado intolerante como para seguir viviendo a mi lado. Cada vez que le proponía ir a verla, me respondía con un silencio cargado de hostilidad. Sus estudios se desarrollaban con mucha lentitud; yo no sabía con quién compartía la vivienda, nunca quiso decírmelo. Conociendo su fragilidad, estaba preocupada. Había sucedido lo del mayo francés, las universidades ocupadas, el movimiento estudiantil. Al escuchar sus poco frecuentes relatos por teléfono, me daba cuenta de que ya no lograba seguirla, estaba siempre enardecida por algo y ese algo cambiaba continuamente. Obediente a mi papel de madre, trataba de entenderla, pero era muy difícil: todo era convulso, huidizo, había demasiadas ideas nuevas, demasiados conceptos absolutos. En lugar de hablar con frases propias, Ilaria intercalaba un slogan atrás de otro. Yo temía por su equilibrio psíquico: sentirse partícipe de un grupo con el cual compartía las mismas certezas, los mismos dogmas absolutos, acentuaba de manera alarmante su tendencia a la arrogancia.

En su sexto año de universidad, preocupada por un silencio más largo que los otros, tomé el tren y fui a verla. Desde que estaba en Padua no lo había hecho nunca. En cuanto abrió la puerta, quedó estupefacta. En lugar de saludarme, me agredió:

—¿Quién te mandó a venir? —Y sin darme tiempo para responder, agregó: —Tendrías que haberme avisado, estaba a punto de salir. Esta mañana tengo un examen importante.

Todavía tenía puesto el camisón, era evidente que se trataba de una mentira. Fingí no darme cuenta y dije:

—Paciencia; si es así, te esperaré y luego festejaremos juntas el resultado.

Un rato después salió de veras, con tal apuro que dejó los libros sobre la mesa.

Al quedarme sola en la casa, hice lo que cualquier madre habría hecho y me puse a curiosear en los cajones; buscaba una señal, algo que me ayudara a entender la dirección que había tomado su vida. No era mi intencion espiarla, realizar actos de censura o inquisición, esas cosas nunca formaron parte de mi carácter. Sólo había una gran ansiedad en mí y para aplacarla tenía necesidad de algún punto de contacto. Salvo volantes y folletos de propaganda revolucionaria, a mis manos no llegó otra cosa; no había ni una carta ni un diario personal. En una pared de su dormitorio había un cartel con la inscripción "La familia es tan aireada y estimulante como una cámara de gas". A su modo, aquello era un indicio.

Ilaria volvió en las primeras horas de la tarde, ostentando la misma actitud agitada con la que había salido.

—¿Cómo te fue en el examen? —le pregunté en el tono más afectuoso posible.

Se encogió de hombros.

—Como en todos los demás —dijo, y luego de una pausa agregó: —¿Has venido para esto, para controlarme?

Quería evitar el choque, de modo que en tono tranquilo y amistoso le contesté que tenía un solo deseo, que habláramos un poco.

—¿Hablar? —repitió incrédula—. ¿Y de qué? ¿De tus pasiones místicas?

—De ti, Ilaria —dije entonces con lentitud, tratando de encontrar sus ojos.

Se acercó a la ventana, con la mirada fija en un sauce un poco marchito.

—No tengo nada que contar. No a ti, al menos. No quiero perder el tiempo en charlas intimistas y pequeño burguesas. —Luego trasladó la vista del sauce al reloj pulsera y dijo: —Es tarde, tengo una reunión importante. Debes irte.

No le obedecí, me levanté, pero en lugar de salir me acerqué a ella.

—¿Qué sucede? —le pregunté—. ¿Qué te hace sufrir? —Sentía que su respiración se hacía más rápida y agregué: —Verte en este estado me hace doler el corazón. Aunque me rechazas como madre, yo no te rechazo como hija. Quisiera ayudarte, si no vienes a mi encuentro, no puedo hacerlo.

En ese momento el mentón comenzó a temblarle, como le pasaba de niña cuando estaba a punto de llorar; arrancó sus manos de las mías y se volvió de golpe hacia un rincón. Su cuerpo delgado y contracturado se veía sacudido por profundos sollozos. Le acaricié el pelo; así como sus manos estaban heladas, su cabeza hervía. Se dio vuelta de repente, me abrazó con la cara escondida en mi hombro.

—Mamá —dijo—, yo...yo...

En aquel preciso instante sonó el teléfono.

—No atiendas —le susurré al oído.

—No puedo hacer eso —me respondió, secándose los ojos.

Cuando levantó el tubo, su voz era de nuevo

metálica, extraña. De acuerdo con el breve diálogo, entendí que debía haber sucedido algo grave. En efecto, enseguida me dijo: "Lo lamento, ahora sí tienes que irte". Salimos juntas; en la puerta se abandonó a un abrazo rapidísimo y culpable. "Nadie puede ayudarme", susurró mientras me apretaba. La acompañé hasta su bicicleta, atada a un palo no lejos de allí. Ya se había subido cuando, pasando dos dedos por debajo de mi collar, dijo: "Perlas, ¿eh? Son tu salvoconducto. ¡Desde que naciste nunca te atreviste a dar un paso sin ellas!".

A tantos años de distancia, ése es el episodio de la vida con tu madre que con mayor frecuencia regresa a mi mente. Pienso en él a menudo. ¿Cómo es posible, me digo, que de todas las cosas vividas juntas, en mis recuerdos siempre aparezca primero ésta? Justo hoy, mientras me lo preguntaba por enésima vez, dentro de mí resonó un proverbio: "La lengua golpea donde el diente duele". Te preguntarás qué tiene que ver. Sí tiene que ver, tiene muchísimo que ver. Ese episodio vuelve a menudo entre mis pensamientos porque es el único en el cual tuve la posibilidad de llevar a cabo un cambio. Tu madre se había echado a llorar, me había abrazado: en aquel momento, en su coraza se había abierto una rendija, una fisura mínima en la que yo habría podido entrar. Una vez adentro, habría podido hacer como esos clavos que se ensanchan no bien entran en la pared: poco a poco se dilatan y ganan un poco más de espacio. Me habría transformado en un punto final en su vida. Para hacerlo, tendría que haber sido valiente. Cuando ella me dijo: "Ahora sí tienes que irte", debía haberme quedado. Debería haber reservado una habitación en un hotel cercano y haber vuelto todos los días a golpear a su puerta, a insistir hasta transformar esa rendija en un pasaje. Faltaba muy poco, lo sentía.

Pero no lo hice; por cobardía, pereza y falso sentido del pudor, obedecí su orden. Había detestado lo invasor de mi madre, quería ser una madre distinta, respetar la libertad de su vida. Detrás de la máscara de la libertad, a menudo se esconde la despreocupación, el deseo de no ser involucrados. Hay un límite muy sutil, pasarlo o no pasarlo es cuestión de un segundo, de una decisión que se toma o no se toma; te das cuenta de su importancia sólo cuando el segundo ha transcurrido. Sólo en ese momento te arrepientes, sólo entonces comprendes que en aquel momento no debía haber libertad sino intrusión: estabas presente, tenías conciencia, de esa conciencia debía nacer la obligación de actuar. El amor mal conviene a los perezosos, para existir en su plenitud a veces requiere gestos precisos y fuertes. ¿Lo entiendes? Había enmascarado mi cobardía y mi indolencia con el traje noble de la libertad.

La idea del destino es un pensamiento que llega con la edad. Cuando se tienen tus años, por lo general no se piensa en ello, todo lo que sucede se ve como fruto de la propia voluntad. Te sientes como un trabajador que, piedra sobre piedra, construye ante sí el camino que deberá recorrer. Sólo mucho después comprendes que el camino ya está hecho,

algún otro lo ha trazado para ti y a ti no te queda
más que avanzar. Es un descubrimiento que habitualmente se hace alrededor de los cuarenta años,
entonces comienzas a intuir que las cosas no
dependen sólo de ti. Es un momento peligroso,
durante el cual no es raro caer en un fatalismo
claustrofóbico. Para ver el destino en toda su realidad,
debes dejar pasar todavía unos cuantos años. Al llegar a
los sesenta, cuando el camino a tu espalda es más
largo que el que tienes frente a ti, ves algo en lo
que nunca habías reparado: la ruta que has recorrido
no era derecha sino que estaba llena de bifurcaciones, a cada paso había una flecha que indicaba
una dirección distinta; de allí se desprendía un
sendero, de allá un caminito herboso que se perdía
en el bosque. Algunas de estas desviaciones las
tomaste sin darte cuenta, otras ni siquiera las viste;
ignoras hacia dónde te habrían conducido las que
dejaste de lado, si a un lugar mejor o peor; no lo
sabes, pero igual sientes añoranza. Podías hacer una
cosa y no la hiciste, volviste para atrás en lugar de ir
hacia adelante. El juego de la oca, ¿lo recuerdas? La
vida avanza más o menos de la misma manera.

A lo largo de las bifurcaciones de tu camino
encuentras otras vidas; conocerlas o no conocerlas,
vivirlas a fondo o dejarlas de lado, depende sólo de
la elección que haces en un segundo; aunque no lo
sepas, entre seguir derecho o desviarte a menudo se
juega tu existencia y la de quien está a tu lado.

22 DE NOVIEMBRE

Anoche cambió el tiempo, vino el viento del este y en pocas horas barrió con todas las nubes. Antes de ponerme a escribir di un paseo por el jardín. La tramontana soplaba todavía con fuerza, se metía por debajo de la ropa. Buck estaba eufórico, quería jugar, con una piña en la boca trotaba a mi lado. Con mis pocas fuerzas logré lanzársela sólo una vez, hizo un vuelo brevísimo, pero él igual estaba contento. Después de verificar el estado de salud de tu rosa, fui a saludar al nogal, al cerezo, mis árboles preferidos.

¿Recuerdas cómo te burlabas de mí cuando me veías parada junto a los troncos, acariciándolos? "¿Qué haces? —me decías—. Eso no es el lomo de un caballo." Cuando te hacía notar que tocar a un árbol en nada difiere de tocar a cualquier otro ser viviente, que incluso es mejor, te encogías de hombros y te ibas irritada. ¿Por qué es mejor? Porque si, por ejemplo, rasco la cabeza de Buck, claro que siento algo cálido, vibrante, pero debajo de ese algo siempre hay una sutil agitación. Es la hora de la comida, demasiado próxima o demasiado lejana, es la nostalgia de ti o sólo el recuerdo de un mal sueño. ¿Entiendes? En el perro, como en el hombre, existen demasiados pensamientos, demasiadas exigencias. Alcanzar la calma y la felicidad no depende sólo de él.

Pero en el árbol todo es distinto. Desde que asoma hasta cuando muere, está quieto siempre en el mismo lugar. Con las raíces se encuentra cerca del corazón de la tierra más que ninguna otra cosa, con su copa es el más próximo al cielo. La savia recorre su interior desde lo alto hacia abajo, desde abajo hacia lo alto. Se expande y se retrae según la luz del día. Espera la lluvia, espera el sol, espera una estación y luego la otra, espera la muerte. Ninguna de las cosas que le permiten vivir depende de su voluntad. Existe y basta. ¿Entiendes ahora por qué es hermoso acariciarlos? Por la solidez, por el aliento tan largo, tan sosegado, tan profundo. En alguna parte de la Biblia está escrito que Dios tiene las narices anchas. Aunque es un poco irreverente, todas las veces que traté de imaginar una apariencia para el Ser Divino, me vino a la mente la forma de una encina.

En la casa de mi infancia había una, era tan grande que se necesitaban dos personas para abrazar el tronco. Ya a los cuatro o cinco años me gustaba ir a su encuentro. Estaba allí, sentía la humedad de la hierba bajo el trasero, el viento fresco en el pelo y en la cara. Respiraba y sabía que había un orden superior de las cosas y que en aquel orden yo estaba comprendida junto con todo lo que veía. Aunque no conocía la música, algo me cantaba adentro. No sabría decirte qué tipo de melodía era, no había un ritornelo preciso ni una canción. Era más bien como si un fuelle soplase con ritmo regular y potente en la zona próxima a mi corazón, y como si este soplo, al expanderse por todo el cuerpo y la mente, produjera una gran luz, una luz de una naturaleza doble: la suya, de luz, y la de la música. Me sentía feliz porque existía, y fuera de esa felicidad no había otra cosa para mí.

Te podrá parecer extraño o excesivo que un niño intuya algo similar. Por desgracia, estamos habituados a considerar la infancia como un período de ceguera, de carencia, no como uno en el que hay más riqueza. Y sin embargo, bastaría mirar con atención los ojos de un recién nacido para darse cuenta de que es justamente así. ¿Lo hiciste alguna vez? Haz la prueba cuando se te presente la ocasión. Sácate los prejuicios de la mente y obsérvalo. ¿Cómo es su mirada? ¿Vacía, inconsciente? ¿O antigua, lejanísima, sabia? De una manera natural, los niños tienen en sí mismos un aliento más grande; somos nosotros, los adultos, quienes lo hemos perdido y no sabemos aceptarlo. A los cuatro, a los cinco años, yo no conocía nada de religión, de Dios, de todos esos enredos que hicieron los hombres al hablar de estas cosas.

Te diré, cuando se trató de elegir si hacerte asistir o no a las horas de religión en la escuela, estuve largo tiempo indecisa sobre lo que debía hacerse. Por una parte recordaba lo catastrófico que había sido mi impacto con los dogmas, por la otra, estaba absolutamente segura de que en la educación, además de la mente, era necesario considerar también el espíritu. La solución apareció por sí sola el día en que murió tu primer hamster. Lo tenías en la mano y me mirabas perpleja.

—¿Dónde está ahora? —me preguntaste.

Yo te respondí repitiendo la pregunta.

En tu opinión, ¿dónde está ahora?

¿Recuerdas lo que me contestaste?

—Está en dos lugares. Un poco aquí, un poco entre las nubes.

Esa misma tarde lo enterramos con un pequeño funeral.

Arrodillada frente al pequeño túmulo, dijiste tu plegaria: "Sé feliz, Tony. Un día nos volveremos a ver".

Tal vez nunca te lo dije, pero los primeros años escolares los cursé con las monjas, en el instituto del Sagrado Corazón. Eso, créeme, no fue un daño de poca importancia para mi mente ya tan danzarina. En la entrada del colegio las hermanas tenían armado un gran pesebre durante todo el año. Estaba Jesús en su choza con el padre, la madre, el buey y el pequeño asno, y alrededor había montes y despeñaderos de cartón piedra, poblados solamente con un rebaño de ovejitas. Cada una de ellas era una alumna y, de acuerdo con su comportamiento del día, era alejada o aproximada a la choza de Jesús. Todas las mañanas, antes de ir a clase, pasábamos por delante del pesebre y nos obligaban a mirar nuestra posición. Del otro lado de la choza había un precipicio muy profundo, y era allí donde estaban las más malas, con dos patitas ya suspendidas en el vacío. De los seis a los diez años viví condicionada por los pasos que hacía mi corderito. Y no necesito decirte que casi nunca se movía del borde del despeñadero.

Dentro de mí, con toda voluntad, trataba de respetar los mandatos que me habían enseñado. Lo hacía por ese natural sentido de conformismo que tienen los niños, pero no sólo por eso: estaba de veras convencida de que era preciso ser buena, no mentir, no ser vanidosa. A pesar de todo, siempre estaba a punto de caer. ¿Por qué? Por cosas insignificantes. Cuando, bañada en lágrimas, iba a lo de la madre superiora a preguntar por la razón de aquel enésimo cambio de lugar, ella me contestaba: "Porque ayer tenías un moño demasiado grande en la cabeza... Porque al salir de la escuela una compañera tuya te oyó tararear... Porque no te lavaste las manos antes de sentarte a la mesa". ¿Entiendes? Una vez más mis culpas eran externas, iguales, idénticas a las que me atribuía mi madre. Lo que se enseñaba no era la coherencia sino el conformismo. Un día, habiendo llegado al límite extremo del precipicio, estallé en llanto diciendo: "Pero yo amo a Jesús". Entonces, la hermana que estaba allí,

¿sabes qué dijo?: "Ah, además de desordenada, también eres mentirosa. Si amaras de veras a Jesús, tendrías los cuadernos más ordenados". Y ¡paf!, de un empujón con el índice hizo caer a mi ovejita en el precipicio.

Después de ese episodio, creo que no dormí durante dos meses enteros. Apenas cerraba los ojos, bajo la tela del colchón sentía que la espalda se transformaba en llamas y unas voces horribles reían burlonamente dentro de mí mientras decían: "Espera, ya vamos a buscarte". Por supuesto, nunca les conté nada de todo eso a mis padres. Al verme nerviosa y con la cara amarillenta, mi madre decía: "Esta chica tiene *surmenage*", y yo, sin chistar, tragaba cucharada más cucharada de jarabe reconstituyente.

Quién sabe cuántas personas sensibles e inteligentes se han alejado para siempre de las cuestiones del espíritu gracias a episodios como ése. Cada vez que escucho a alguien hablar de lo hermosos que eran los años escolares y cómo los extraña, quedo sorprendida. Para mí, esa época fue una de las más feas de mi vida, más aún, quizás la más fea, debido a la sensación de impotencia que la dominaba. Durante toda la escuela primaria me debatí con ferocidad entre la voluntad de permanecer fiel a lo que sentía en mi interior y el deseo de adherir, por más que lo intuía falso, a lo que creían los otros.

Es extraño, pero al revivir ahora las emociones de aquellos tiempos, tengo la impresión de que mi gran crisis del crecimiento no tuvo lugar, como siempre ocurre, en la adolescencia, sino justamente en esos años de la infancia. A los doce, a los trece, a los catorce años, ya estaba en posesión de una triste estabilidad. Las grandes preguntas metafísicas se habían alejado poco a poco para dejar lugar a fantasías nuevas e inocuas. Iba a misa los domingos y en las fiestas de guardar junto con mi madre, me arrodillaba con aire compungido para recibir la hostia; sin embargo, mientras lo hacía, pensaba en otras cosas; aquella era sólo una de las tantas pequeñas actuaciones que debía interpretar para vivir tranquila. Por eso no te inscribí en la hora de educación religiosa, y nunca me arrepentí de no haberlo hecho. Cuando, con tu curiosidad infantil, me planteabas preguntas sobre ese tema, trataba de contestarte en forma directa y serena, respetando el misterio que hay en cada uno de nosotros. Y cuando dejaste de hacerme preguntas, con discreción dejé de hablarte de ello. En estas cosas no se puede empujar o tirar o tironear, de otro modo sucede lo mismo que sucede con los vendedores ambulantes. Más hacen la propaganda de su producto, más se sospecha que allí hay una trampa. Contigo traté sólo de no apagar lo que ya había. Por lo demás, esperé.

No creas, sin embargo, que mi camino haya sido tan simple; aunque a los cuatro años había intuido el aliento que envuelve a las cosas, a los siete lo había olvidado. En los primeros tiempos, es verdad, todavía oía la música; estaba en el trasfondo, pero estaba. Parecía un torrente en una garganta montañosa; si me quedaba quieta y atenta, desde el borde del precipicio lograba percibir su sonido. Luego, el torrente se transformó en una radio vieja, en una radio a punto de romperse. En un momento la melodía explotaba con demasiada fuerza, en el momento siguiente no había nada.

Mis padres no perdían ocasión de reprocharme mi costumbre cantarina. Cierta vez, durante un almuerzo, incluso recibí una bofetada —mi primera bofetada— porque se me había escapado un tralalá. "En la mesa no se canta", tronó mi padre. "No se canta si no se es cantante", lo apoyó mi madre. Yo lloraba y repetía entre lágrimas: "Pero a mí algo me canta adentro". Cualquier cosa que se alejara del mundo concreto de la materia, para mis padres resultaba incomprensible. ¿Cómo era posible entonces que conservara mi música? Debería haber tenido cuando menos un destino de santa. Por el contrario, el mío era el cruel destino de la normalidad.

Poco a poco la música desapareció, y con ella el sentido de alegría profunda que me había acompañado en los primeros años. La alegría es justamente lo que más extrañé. Después, claro, también fui feliz, pero la felicidad, comparada con la alegría, es como una lamparita eléctrica frente al sol. La felicidad siempre tiene un objeto, se es feliz por algo, es un sentimiento cuya existencia depende del exterior. Pero la alegría no tiene un objeto. Te posee sin ninguna razón aparente, en su ser se parece al sol, arde gracias a la combustión de su mismo corazón.

En el curso de los años hice abandono de mí misma, abandoné la parte más profunda de mí para convertirme en otra persona, aquella en la que mis padres esperaban que me convirtiera. Dejé mi personalidad para adquirir un carácter. El carácter, ya tendrás ocasión de comprobarlo, es mucho más apreciado que la personalidad.

Pero carácter y personalidad, al revés de lo que se cree, no van juntos: es más, la mayoría de las veces el uno excluye con perentoriedad a la otra. Mi madre, por ejemplo, tenía un carácter fuerte, estaba segura de cada uno de sus actos y no había nada, absolutamente nada, que pudiera alterar esa seguridad. Yo era todo lo contrario. En la vida cotidiana no había una sola cosa que me provocase placer. Vacilaba ante cada elección, la postergaba tanto que, al final, quien estaba conmigo, una vez perdida la paciencia decidía por mí.

No creas que haya sido un proceso natural dejar la personalidad para fingir un carácter. Algo en el fondo de mí no dejaba de rebelarse, una parte deseaba seguir siendo yo misma mientras la otra, para ser amada, quería adecuarse a las exigencias del mundo. ¡Qué dura batalla! Detestaba a mi madre, con su modo de actuar superficial y vacío. La detestaba y, sin embargo, lentamente y en contra de mi voluntad, me estaba volviendo como ella. Ese es el chantaje grande y terrible de la educación, del que es casi imposible huir. Ningún niño puede vivir sin amor. Es por eso que nos adecuamos al modelo pedido, incluso aunque no te guste para nada, incluso aunque no lo encuentres justo. El efecto de este mecanismo no desaparece con la edad adulta. No bien eres madre, resurge sin que te des cuenta o lo quieras y plasma de nuevo tus actos. Es por eso que yo, cuando nació tu madre, estaba absolutamente segura de que me comportaría de manera distinta. Y, en efecto, así lo hice, pero esa diversidad estaba en la superficie, era falsa. Para no imponer un modelo a tu madre, como me había sido impuesto a mí en anticipación a los tiempos, siempre la dejé en libertad para elegir; quería que se sintiera aprobada en todos sus actos, no hacía más que repetirle: "Somos dos personas distintas, y en la diversidad debemos respetarnos".

Había un error en todo esto, un error grave. ¿Y sabes cuál era? Era mi falta de identidad. Aunque ya era adulta, no estaba segura de nada. No lograba amarme, tenerme estima. Gracias a la sensibilidad sutil y oportunista que caracteriza a los niños, tu madre lo percibió casi enseguida: sintió que yo era débil, frágil, fácil de dominar. Al pensar en nuestra relación, la imagen que me viene a la mente es la de un árbol y su planta dañina. El árbol es más viejo, más alto, está allí desde hace tiempo y tiene raíces más profundas. La planta asoma a sus pies en una sola estación, más que raíces tiene raicillas, filamentos. Debajo de cada filamento tiene pequeñas ventosas y con ellas trepa por el tronco. Al cabo de un año o dos, ya está en la parte más alta de la copa. Mientras su huésped va perdiendo las hojas, ella permanece verde. Sigue expandiéndose, arraigándose, lo cubre en su totalidad; el sol y el agua caen sólo sobre ella. En este momento, el árbol se seca y muere; allí queda nada más que el tronco como mísero sostén de la planta trepadora.

Después de su trágica desaparición, durante varios años no pensé más en ella. A veces me daba cuenta de que la había olvidado y me acusaba de crueldad. Había que atenderte a ti, es verdad, pero no creo que fuese ése el verdadero motivo, o tal vez lo era en parte. La sensación de derrota era demasiado grande para poder admitirla. Sólo en los últimos años, cuando tú empezaste a alejarte, a buscar tu camino, el pensamiento de tu madre me volvió a la mente, comenzó a obsesionarme. Mi mayor remordimiento es no haber tenido nunca el coraje de enfrentarla, no haberle dicho nunca: "Estás muy equivocada, estás haciendo una tontería". Sentía que en sus palabras había fórmulas publicitarias muy peligrosas, cosas que, por su bien, habría debido tronchar de inmediato, y, sin embargo, me abstenía de intervenir. La indolencia no tenía nada que ver con esto. Todo aquello sobre lo que se discutía era esencial. Lo que me empujaba a actuar —o, mejor dicho, a no actuar— era la actitud que me había inculcado mi madre. Para ser amada debía evitar el choque, fingir que era quien no era. Ilaria era prepotente por naturaleza, tenía más carácter, y yo temía el enfrentamiento abierto, tenía miedo de oponerme. Si de veras la hubiera amado, debería haberme indignado, haberla tratado con dureza; tendría que haberla obligado a hacer cosas o a no hacerlas en absoluto Quizás era exactamente eso lo que ella quería, lo que necesitaba.

¿Por qué será que las verdades más elementales resultan las más difíciles de comprender? Si yo hubiera comprendido entonces que la primera cualidad del amor es la fuerza, los hechos probablemente se habrían desarrollado de otra forma. Pero para ser fuerte es necesario amarse a uno mismo; para amarse a uno mismo es necesario conocerse en profundidad, saber todo de uno, incluso las cosas más escondidas, las más difíciles de aceptar. ¿Cómo se hace para cumplir un proceso de esa clase mientras la vida con su ruido te empuja hacia adelante? Lo puede hacer desde el principio sólo quien posee dotes extraordinarias. A los mortales comunes, a las personas como yo, como tu madre, no les queda más que el destino de la vajilla de cobre y las botellas de plástico. Alguien —o el viento— de golpe te arroja en el curso de un río; gracias a la materia de que estás hecho, en lugar de irte al fondo te mantienes a flote; eso ya te parece una victoria y así, enseguida comienzas a correr; te deslizas con agilidad en la dirección en que te lleva la corriente; cada tanto, debido a un nudo de raíces o a alguna piedra, te ves obligado a hacer un alto; estás allí un poco, golpeado por el agua, que después sube, y tú te liberas, sigues adelante; cuando el río está tranquilo, permaneces arriba, cuando hay rápidos, estos te sumergen; no sabes hacia dónde vas ni te lo preguntas alguna vez; en los trechos más tranquilos tienes oportunidad de ver el paisaje, los terraplenes, los matorrales; más que detalles, ves las formas, el tipo de colorido, vas demasiado aprisa como para ver otra cosa; luego, con el tiempo y los kilómetros, los terraplenes bajan, el río se ensancha, todavía tiene márgenes, pero cada vez menos. "¿Hacia dónde voy?", te preguntas entonces, y, en ese momento, delante de ti se abre el mar.

Gran parte de mi vida fue así. Más que nadar, avancé a tientas. Con gestos inseguros y confusos, sin elegancia ni alegría, sólo logré mantenerme a flote.

¿Por qué te escribo todo esto? ¿Qué significan estas confesiones largas y demasiado íntimas? A esta altura quizás te hayas cansado y, bufando, habrás pasado una página después de la otra. Adónde quiere llegar, te habrás preguntado, adónde me lleva. Es verdad, en mi charla divago, en lugar de tomar el camino principal, a menudo y en forma deliberada tomo por senderos humildes. Doy la impresión de haberme perdido y tal vez no sea una impresión: me perdí de verdad. Pero éste es el camino que exige lo que tú tanto buscas, el centro.

¿Recuerdas cuando te enseñaba a hacer panqueques? Al hacerlos saltar por el aire, te decía: debes pensar en todo menos en el hecho de que deben volver a caer rectos en la sartén. Si te concentras en el vuelo, puedes estar segura de que caerán enroscados, o de que se aplastarán directamente sobre la hornalla. Es curioso, pero es justo la distracción lo que hace llegar al centro de las cosas, a su corazón.

En lugar del corazón, ahora es mi estómago quien toma la palabra. Rezonga y tiene razón, porque entre un panqueque y un viaje por el río ha llegado la hora de cenar. Ahora tengo que dejarte, pero antes de dejarte te mando otro odiado beso.

29 DE NOVIEMBRE

El viento de ayer se cobró una víctima; la encontré esta mañana durante mi acostumbrado paseo por el jardín. Casi como si me lo hubiera sugerido mi ángel de la guarda, en lugar de hacer como siempre la simple circunvalación de la casa, llegué hasta el fondo, allí donde en una época se encontraba el gallinero y ahora está el depósito de abono. Justo mientras iba costeando el pequeño muro que nos separa de la familia de Walter, distinguí algo oscuro en el piso. Podía ser una piña, pero no lo era porque, a intervalos más bien regulares, se movía. Yo estaba sin anteojos y, sólo cuando casi le estuve encima, de di cuenta de que era una joven hembra de mirlo. En mi esfuerzo por agarrarla casi me rompo el fémur. Cuando estaba a punto de llegar hasta ella, daba un saltito hacia adelante. Si hubiera sido más joven, la habría atrapado en menos de un segundo, pero ahora estoy demasiado lenta.

Por fin tuve un golpe de genialidad, me saqué el pañuelo de la cabeza y se lo tiré encima. Envuelta de esa manera, la llevé a casa y la acomodé en una vieja caja de zapatos; adentro puse trapos viejos y en la tapa hice agujeros, uno de ellos lo suficientemente grande como para que pudiera sacar la cabeza.

Mientras escribo la veo frente a mí, sobre la mesa; todavía no le he dado de comer porque está demasiado agitada. Al verla así, yo también me agito; sus ojos asustados me hacen sentir incómoda. Si en este momento bajara un hada, si apareciera entre la heladera y la cocina económica enceguecéndome con su fulgor, ¿sabes qué le diría? Le pediría el Anillo del Rey Salomón, ese mágico intérprete que permite hablar con todos los animales del mundo. Así podría decirle a la mirla: "No te preocupes, pequeñita mía, claro que soy un ser humano, pero me animan las mejores intenciones. Te curaré, te daré de comer y, cuando estés sana de nuevo, te haré remontar vuelo".

Pero hablemos de nosotros. Ayer nos separamos en la cocina, con mi prosaica parábola de los panqueques. Casi seguro que te enojaste. Cuando se es joven, siempre se piensa que las cosas grandes exigen, para ser descriptas, palabras todavía más grandes, altisonantes. Poco antes de partir me dejaste debajo de la almohada una carta en la que tratabas de explicarme tu malestar. Ahora que estás lejos puedo decirte que, salvo justamente tu sensación de malestar, de aquella carta no entendí nada.

Era todo tan retorcido, tan oscuro. Yo soy una persona simple, pertenezco a una época distinta de la tuya; si algo es blanco, digo que es blanco, si es negro, negro. La solución de los problemas surge de la experiencia de todos los días, de mirar las cosas como son en realidad y no como, según algún otro, deberían ser. Desde el mismo momento en que se comienza a arrojar el lastre, a eliminar lo que no nos pertenece, lo que viene de afuera, ya se está en el buen camino. Muchas veces tengo la impresión de que las lecturas que haces, en lugar de ayudarte te confunden, dejan lo negro a tu alrededor, como las sepias cuando huyen.

Antes de decidir tu partida, me habías enviado un ultimátum. O voy un año al exterior, o empiezo a· ver a un psicoanalista. Mi reacción fue dura, ¿recuerdas? Puedes irte por tres años también, te dije, pero a un psicoanalista no irás ni una vez; no te permitiría que fueras, ni siquiera si lo pagas tú. Habías quedado muy conmocionada ante mi reacción tan extrema. En el fondo, al proponerme el psicoanalista, creías proponerme un mal menor. Aunque de ninguna manera protestaste, imagino que habrás pensado que yo era demasiado vieja para entender estas cosas, o demasiado poco informada. En fin, te equivocas. De Freud ya había oído hablar de chica. Uno de los hermanos de mi padre era médico y, habiendo estudiado en Viena, entró muy pronto en contacto con sus teorías. Era un admirador de ellas, y cada vez que venía a comer trataba de convencer a mis padres de su eficacia ."Nunca me harás creer que, si sueño con tallarines, tengo miedo a la muerte —tronaba mi madre—. Si sueño con tallarines quiere decir una sola cosa: que tengo hambre." De nada valían los intentos de mi tío para explicarle que esa obstinación suya derivaba de un desplazamiento, que su miedo a la muerte era inequívoco, pues los tallarines no eran otra cosa que gusanos, y gusanos era lo que un día íbamos a ser todos. En ese momento, ¿sabes qué hacía mi madre? Tras un segundo de silencio, con su voz de soprano estallaba: "Y entonces, ¿si sueño con macarrones?".

Sin embargo, mis encuentros con el psicoanálisis no se agotaban con esta anécdota infantil. Tu madre se atendió con un supuesto psicoanalista durante casi diez años; cuando murió, todavía seguía viéndolo, de modo que, aunque sea de reflejo, tuve oportunidad de seguir día a día el completo desarrollo de la relación. Al principio, para decir la verdad, no me contaba nada; sobre toda esa cuestión, tú lo sabes, rige el secreto profesional. Lo que me llamó enseguida la atención —y en sentido negativo— fue la inmediata y total sensación de dependencia. Ya al cabo de sólo un mes toda su vida giraba alrededor de esa cita, de lo que sucedía en aquella hora entre ella y ese señor. Celos, dirás tú. Puede ser, también eso es posible, pero no era lo más importante; lo que me angustiaba era más bien el malestar de verla esclava de una nueva dependencia; primero la política, y luego la relación con ese señor. Ilaria lo había conocido durante su último año de estadía en Padua y, de hecho, era a Padua adonde iba cada semana. Cuando me comunicó esta nueva actividad, quedé un poco perpleja y le dije: "¿De veras crees que es necesario ir hasta allá para encontrar un buen médico?".

Por un lado, la decisión de recurrir a un médico para salir de su estado de crisis perpetua me daba una sensación de alivio. En el fondo, me decía, si Ilaria ha decidido pedir ayuda a alguien, eso ya es un paso adelante. Por el otro, conociendo su fragilidad, estaba inquieta por la elección de la persona a quien se había encomendado. Entrar en la cabeza de otro siempre es un hecho de extrema delicadeza.

—¿Cómo lo conociste? —le preguntaba entonces—. ¿Te lo recomendó alguien?

Por toda respuesta, ella se limitaba a encogerse de hombros.

—Tú no puedes entender —respondía, y cortaba la frase con un silencio de suficiencia.

Si bien en Trieste vivía en una casa por su cuenta, teníamos la costumbre de almorzar juntas al menos una vez por semana. Desde el inicio de la terapia, nuestros diálogos en esas ocasiones habían sido de una grande y deliberada superficialidad. Hablábamos de lo ocurrido en la ciudad, del tiempo; si el tiempo era bueno y en la ciudad no había pasado nada, estábamos casi completamente calladas.

Ya después de su tercer o cuarto viaje a Padua, sin embargo, me percaté de un cambio. En lugar de hablar de nada, era ella quien hacía preguntas: quería saber todo sobre el pasado, sobre mí, sobre su padre, sobre nuestras relaciones. No había afecto en sus preguntas, ni curiosidad: era el tono de un interrogatorio, repetía muchas veces la pregunta, insistiendo en detalles minúsculos; insinuaba dudas sobre episodios que ella misma había vivido y recordaba muy bien; en aquellos momentos no me parecía estar hablando con mi hija sino con un comisario que a toda costa quería hacerme confesar un delito. Un día, luego de perder la paciencia, le dije:

—Sé clara, dime adónde quieres llegar.

Ella me dirigió una mirada levemente irónica, tomó un tenedor, golpeó un vaso con él y, cuando el vaso hizo "cling", dijo:

—A un solo lugar, a la terminal. Quiero saber cuándo y por qué tú y tu marido me cortaron las alas.

Aquel almuerzo fue la última vez que consentí en someterme a esa metralla de preguntas; a la semana siguiente le dije por teléfono que viniera, pero con una condición, que entre nosotras, en lugar de un proceso, hubiera un diálogo.

¿Tenía cola de paja? Por cierto, tenía cola de paja, había muchos temas de los cuales habría debido hablar con Ilaria, pero no me parecía justo ni sano revelar cosas tan delicadas bajo la presión de un interrogatorio: si le hubiera seguido el juego, en vez de inaugurar una relación nueva entre dos personas adultas, yo habría sido sólo y para siempre culpable, y ella por siempre víctima, sin posibilidad de rescate.

Varios meses más tarde, volví a hablarle de la terapia. Con su doctor ya hacía retiros que duraban fines de semana enteros; había adelgazado mucho y en sus charlas había algo delirante que nunca le había oído. Le conté lo del hermano de su abuelo, lo de sus primeros contactos con el piscoanálisis y luego, como si fuera poco importante, le pregunté:

—¿De qué escuela es tu analista?

—De ninguna —respondió ella—. O mejor dicho, de una que fundó él.

Desde ese momento, lo que hasta entonces había sido una simple inquietud se convirtió en una verdadera y profunda preocupación. Logré descubrir el nombre el médico y, con una breve pesquisa, también descubrí que no era médico. Las esperanzas que había alimentado al principio sobre los efectos de la terapia se derrumbaron en un solo instante. Por cierto, no era la falta de un título en sí mismo lo que me hacía sospechar, sino la falta de un título unida a la constatación del estado de Ilaria, que era cada vez peor. Si la cura fuera válida, pensaba yo, a una fase inicial de malestar habría debido seguir una de mayor bienestar; lentamente, entre dudas y recaídas, debería haberse abierto camino la conciencia. En lugar de eso, poco a poco Ilaria había dejado de interesarse por todo lo que había a su alrededor. Desde hacía varios años había terminado sus estudios y no hacía nada, se había alejado de los pocos amigos que tenía; su única actividad era escrutar sus movimientos internos con la obsesión de un entomólogo. El mundo giraba alrededor de lo que había soñado la noche anterior, de una frase que yo o su padre le habíamos dicho veinte años atrás. Frente a este deterioro de su vida, me sentía completamente impotente.

Sólo tres veranos más tarde, durante algunas semanas se abrió una rendija de esperanza. Poco después de Pascua, le había propuesto hacer un viaje juntas; para mi gran sorpresa, en lugar de rechazar la idea por adelantado, Ilaria, alzando los ojos del plato, había dicho:

—¿Y adónde podríamos ir?

—No lo sé —respondí yo—. Adonde tú quieras, a cualquier lugar que se te ocurra.

Esa misma tarde, esperamos con impaciencia la apertura de las agencias de viaje. Las recorrimos semanas enteras en busca de algo que nos gustara. Al final optamos por Grecia —Grecia y Santorini— para fines de mayo. Las cosas prácticas que debían hacerse antes de la partida nos unieron con una complicidad que jamás habíamos tenido. Ella estaba obsesionada con las valijas, con el terror de olvidar algo de esencial importancia; para tranquilizarla le compré un cuadernito: "Escribe ahí todas las cosas que necesites —le dije—. Cuando las hayas puesto en la valija, les haces una cruz al lado".

A la noche, en el momento de ir a dormir, me arrepentía de no haber pensado antes que un viaje juntas era un óptimo modo de tratar de recomponer la relación. El viernes anterior a la partida, Ilaria me telefoneó con voz metálica. Creo que se encontraba en una cabina pública.

—Tengo que ir a Padua —me anunció—. Vuelvo el martes a más tardar.

—¿De veras es imprescindible? —le pregunté, pero ya había cortado.

Hasta el jueves siguiente no tuve otras noticias de ella. A las dos sonó el teléfono, el tono de su voz estaba a mitad de camino entre la dureza y la amargura.

—Lo siento —dijo—. No voy a Grecia.

Esperaba mi reacción tanto como yo. Al cabo de unos segundos, respondí:

—Yo también lo siento. De todos modos, voy igual.

Comprendió mi desilusión e intentó darme justificativos.

—Si viajo, huyo de mí misma —susurró.

Como puedes imaginar, fueron unas vacaciones tristísimas; me esforzaba por seguir a los guías, por interesarme en el paisaje y la arqueología; en realidad, sólo pensaba en tu madre, en la dirección que estaba tomando su vida.

Ilaria, me decía a mí misma, se parece a un campesino que, después de haber plantado el huerto y de haber visto asomar las primeras plantitas, es invadido por el temor de que algo las pueda perjudicar. Entonces, para protegerlas de la intemperie, compra una buena tela plástica, resistente al agua y al viento, y se la acomoda encima; para mantener alejados a los pulgones y las larvas, las riega con abundantes dosis de insecticida. El suyo es un trabajo sin pausa, no hay momento del día o de la noche en que no piense en el huerto y en el modo de defenderlo. Hasta que, una mañana, al levantar la tela, se lleva la fea sorpresa de encontrarlas a todas marchitas, muertas. Si las hubiera dejado en libertad de crecer, algunas igual habrían muerto, pero otras habrían sobrevivido. Al lado de las que él había plantado, llevadas por el viento y los insectos habrían crecido otras; algunas habrían sido yuyos y él las habría arrancado, pero otras, tal vez, se habrían convertido en flores y con sus colores habrían alegrado la monotonía del huerto. ¿Entiendes? Así se dan las cosas; en la vida hace falta generosidad: cultivar el propio y pequeño carácter sin ver nada más de lo que nos rodea significa seguir respirando, pero estar muerto.

Al imponer una excesiva rigidez a su mente, Ilaria había suprimido en sí misma la voz del corazón. A fuerza de discutir con ella, hasta yo tenía miedo de pronunciar esa palabra. Cierta vez, cuando era adolescente, le había dicho: el corazón es el centro del espíritu. A la mañana siguiente, sobre la mesa de la cocina había encontrado el diccionario abierto en la palabra espíritu; la definición estaba subrayada con lápiz rojo: líquido incoloro apto para conservar la fruta.

Hoy en día el corazón hace pensar en algo ingenuo, vulgar. En mi juventud todavía era posible nombrarlo sin vergüenza; ahora, al contrario, es un término que ya no usa nadie. Las pocas veces en que se lo cita, es sólo para referirse a su mal funcionamiento: no es el corazón en su integridad, sino sólo una isquemia coronaria, una leve irregularidad de la aurícula; pero de él, de su calidad de centro del alma humana, no se hace ninguna mención. Muchas veces me he preguntado por la razón de este ostracismo. "El que confía en su propio corazón es un necio", decía a menudo Augusto, citando a la Biblia. ¿Por qué debería ser un necio? ¿Quizás porque el corazón se parece a una cámara de combustión? ¿Porque allí adentro hay oscuridad, oscuridad y fuego? La mente es moderna en la medida en que el corazón es antiguo. Quien da importancia al corazón —se piensa, entonces— está cerca del mundo animal, de lo incontrolado; quien da importancia a la razón está cerca de las reflexiones más elevadas. ¿Y si las cosas no fueran así, si fueran justamente al revés? ¿Si fuera ese exceso de razón lo que debilita a la vida?

Durante el viaje de regreso de Grecia, había tomado la costumbre de pasar parte de la mañana cerca de la cabina de mando. Me gustaba echar un vistazo allí adentro, mirar el radar y todos esos aparatos complicados que decían adónde nos dirigíamos. Cierto día, mientras observaba las distintas antenas que vibraban en el aire, pensé que el hombre se parece cada vez más a una radio capaz de sintonizarse sólo en una banda de frecuencia. Sucede lo mismo con las pequeñas radios que encuentras como regalo en las cajas de detergente: si bien en el dial aparecen todas las emisoras, en realidad, al mover el sintonizador, no logras encontrar más que una o dos; las demás siguen zumbando en el aire. Tengo la impresión de que el uso excesivo de la mente produce más o menos el mismo efecto: de toda la realidad que nos rodea, sólo se consigue captar una parte restringida. Y en esa parte a menudo impera la confusión porque está llena de palabras, y las palabras, la mayoría de las veces, en vez de conducirnos a algún lugar más amplio, sólo nos hacen realizar un juego de niños.

La comprensión exige silencio. De joven no lo sabía, lo sé ahora, cuando me paseo por la casa muda y solitaria como un pez en su ampolla de cristal. Es un poco como limpiar el piso sucio o con una escoba o con un trapo mojado: si usas la escoba, gran parte del polvo se levanta por el aire y luego cae sobre los objetos vecinos; si en cambio usas el trapo húmedo, el piso queda resplandeciente y parejo. El silencio es como el trapo húmedo, aleja para siempre la opacidad del polvo. La mente es prisionera de las palabras, si un ritmo les pertenece, es el ritmo desordenado de los pensamientos; por el contrario, el corazón respira, de todos los órganos, es el único que late, y es ese latido lo que le permite entrar en sintonía con pulsaciones más grandes. A veces me ocurre, más por distracción que por otra cosa, que dejo el televisor encendido toda la tarde; aun cuando no lo mire, su sonido me sigue por los cuartos y a la noche, cuando me voy a la cama, estoy mucho más nerviosa que de costumbre y me cuesta dormirme. El sonido continuo, el estruendo, son una especie de droga; cuando uno se habituó a ellos, no se los puede dejar.

No quiero ir mucho más allá, ahora no. En las páginas que escribí hoy es un poco como si hubiera preparado una torta mezclando distintas recetas

—un poco de almendras y luego ricota, uvas y ron, bizcochuelo y mazapán, chocolate y frutillas—, en fin, una de esas cosas terribles que cierta vez me hiciste probar diciendo que se llamaba *nouvelle cuisine*. ¿Un embrollo? Puede ser. Me imagino que si las leyera un filósofo no podría abstenerse de marcar todo con lápiz rojo, como las viejas maestras. "Incongruente —escribiría—, fuera de tema, dialécticamente insostenible."

¡Imagínate si cae en manos de un psicólogo! Podría escribir todo un ensayo sobre la relación fracasada con mi hija, sobre todo lo que remuevo. Suponiendo que hubiera removido algo, ¿qué importancia tiene ahora? Tenía una hija y la perdí. Murió al destrozarse con el auto: ese mismo día le había revelado que aquel padre que, según ella, le había causado tantos males, no era su verdadero padre. Ese día está presente ante mí como la cinta de una película, sólo que en lugar de moverse en el proyector está clavada en una pared. Conozco de memoria la secuencia de las escenas, y de cada una conozco todos los detalles. No se me escapa nada, todo está dentro de mí, late en mis pensamientos cuando estoy despierta y cuando duermo. Latirá incluso después de mi muerte.

La mirlita se ha despertado, a intervalos regulares asoma la cabeza por el agujero y emite un "pío" decidido. "Tengo hambre —parece decir—, ¿qué esperas para darme algo de comer?" Me levanté, abrí la heladera, miré si había algo adecuado para ella. Dado que no había nada, tomé el teléfono para preguntarle al señor Walter si tenía gusanos. Mientras marcaba el número, dije: "Feliz de ti, pequeñita, que naciste de un huevo y tras el primer vuelo te olvidaste del aspecto de tus padres".

30 DE NOVIEMBRE

Esta mañana, poco antes de las nueve, llegó Walter con la esposa y una bolsita de gusanos. Los consiguió en lo de un primo suyo que tiene el hobby de la pesca. Eran larvas de la harina. Ayudada por él, saqué delicadamente a la mirlita de la caja; bajo las suaves plumas de su pecho, el corazón le latía enloquecido. Con una pequeña pinza de metal saqué los gusanos de un platito y se los ofrecí. Aunque se los moví frente al pico en forma apetitosa, no quiso saber nada. "Ábraselo con un palito —me incitaba el señor Walter— fuérceselo con los dedos." Yo, por supuesto, no tenía coraje para hacerlo. En determinado momento me acordé, dado que hemos criado juntas a tantos pajaritos, que hay que abrirles el pico de costado, y así lo hice. En efecto, como si atrás hubiera habido un resorte, la mirlita enseguida abrió todo el pico. Después de tres gusanos, ya se había saciado. La señora

Razman preparó un café batido —yo no puedo hacerlo desde que tengo la mano mal— y nos quedamos charlando de distintas cosas. Sin la gentileza y servicialidad de ellos, mi vida sería mucho más difícil. Dentro de unos días irán a un vivero a comprar bulbos y semillas para la próxima primavera. Me invitaron a ir con ellos. No les dije ni sí ni no; quedamos en hablarnos por teléfono mañana a las nueve.

Ese día era el ocho de mayo. Yo había pasado la mañana arreglando el jardín, habían florecido las aquileas y el cerezo estaba cubierto de pimpollos. A la hora del almuerzo, sin haberse anunciado, apareció tu madre. Se me aproximó por atrás en silencio. "¡Sorpresa!", gritó de golpe, y yo, del susto, dejé caer el rastrillo. La expresión de su rostro contrastaba con el fingido entusiasmo de su exclamación. Estaba amarilla y tenía los labios contraídos. Al hablar, no dejaba de pasarse las manos por el pelo, se lo apartaba de la cara, se lo tironeaba, se metía un mechón en la boca.

En los últimos tiempos ése había sido su estado natural; al verla así no me preocupé, por lo menos no más que otras veces. Le pregunté dónde estabas. Me dijo que te había dejado jugando en lo de una amiga. Mientras íbamos hacia la casa, sacó de un bolsillo un ramito de no-me-olvides todo apretujado. "Es el día de la madre", dijo, y se quedó inmóvil, mirándome con las flores en la mano, sin decidirse a dar un paso. Entonces el paso lo di yo, me le acerqué y la abracé con cariño para darle las gracias. Cuando sentí su cuerpo en contacto con el mío, me turbé. Había una terrible rigidez en ella; al abrazarla, se había endurecido todavía más. Tuve la sensación de que su cuerpo era completamente hueco por dentro; de él emanaba un aire frío como el que sale de las grutas. En aquel momento, recuerdo muy bien que pensé en ti. ¿Qué será de esa niña, me pregunté, con una madre reducida a estas condiciones? Con el pasar del tiempo la situación, en lugar de mejorar, empeoraba; estaba preocupada por ti, por tu crecimiento. Tu madre era muy celosa y te traía a verme lo menos posible. Quería preservarte de mi influjo negativo. Si la había arruinado a ella, no conseguiría arruinarte a ti.

Era la hora del almuerzo y, después del abrazo, fui a la cocina para preparar algo. La temperatura era suave. Preparamos la mesa al aire libre, debajo de las glicinas. Puse el mantel a cuadritos verdes y blancos y, en el centro de la mesa, un florerito con los no-me-olvides. ¿Ves? Recuerdo todo con una precisión increíble, considerando mi memoria danzarina. ¿Intuía que sería la última vez que la vería con vida? ¿O, después de la tragedia, traté de dilatar artificialmente el tiempo transcurrido juntas? Vaya uno a saber. ¿Quién puede decirlo?

Como no tenía nada listo, preparé una salsa de tomates. Mientras terminaba de cocerse, le pregunté a Ilaria si quería tallarines o fusiles. Desde afuera respondió que le daba lo mismo, y entonces eché los fusiles. Cuando nos sentamos, le hice algunas preguntas sobre ti, preguntas a las que respondió en forma evasiva. Sobre nuestras cabezas había un continuo ir y venir de insectos. Entraban y salían de las flores, su zumbido casi tapaba nuestras palabras. En cierto momento, algo oscuro cayó en el plato de tu madre.

—Es una avispa. ¡Mátala, mátala! —gritó, y saltó de la silla haciendo una chapucería con todo.

Entonces me ocupé de ver qué era, comprobé que se trataba de una pequeña avispa peluda y le dije:

—No es más que una avispa peluda, es inofensiva.

Después de alejarla del mantel, volví a ponerle fideos en el plato. Con expresión todavía descompuesta, se sentó de nuevo en su lugar, tomó el tenedor, jugueteó un poco con él pasándolo de una mano a la otra, y luego apoyó los codos en la mesa para decir: "Necesito dinero". Sobre el mantel, donde habían caído los fideos había quedado una gran mancha de color rojo.

La cuestión del dinero comenzó unos meses atrás. Ya antes de la Navidad del año anterior, Ilaria me había confesado haber firmado unos papeles en favor de su analista. Ante mi pedido de más explicaciones, contestó con evasiones como siempre. "Garantías —dijo—, una pura y simple formalidad." Era su actitud terrorista, cuando tenía que decirme algo lo decía por la mitad. De ese modo descargaba su inquietud sobre mí y, después, no me daba las informaciones necesarias para poder ayudarla. Había un sutil sadismo en todo eso. Además del sadismo, una furiosa necesidad de estar siempre en el centro de alguna preocupación. Sin embargo, la mayoría de las veces esas salidas suyas eran sólo una *boutade*.

Decía, por ejemplo: "Tengo un cáncer en los ovarios", y luego, tras un breve y ansioso interrogatorio, yo descubría que sólo había ido a hacerse un examen de control, ése que se hacen todas las mujeres. ¿Te das cuenta? Era un poco como el cuento del lobo. En los últimos años había anunciado tantas tragedias, que al final yo dejé de creer en ellas, o creía un poco menos. Así, cuando me dijo que había firmado unos papeles, no le presté mucha atención; tampoco insistí en obtener más información. Por sobre todas las cosas, ya estaba cansada de ese juego masacrante. Aunque hubiera insistido, aunque lo hubiera sabido antes, de todas formas habría sido inútil porque ella había firmado los papeles hacía tiempo, sin preguntarme nada.

El verdadero desastre se produjo a fines de febrero. Sólo entonces me enteré de que, con aquellos papeles, Ilaria había garantizado los negocios de su médico por un valor de doscientos mil dólares. En aquellos dos meses, la sociedad para la cual había firmado la garantía quebró; existía un agujero de casi un millón y medio y los bancos habían empezado a pedir la devolución de las sumas comprometidas. En ese momento, tu madre había venido a verme llorando, a preguntarme qué debía hacer. De hecho, la garantía se basaba en la casa donde vivía contigo, era lo que los bancos reclamaban.

Puedes imaginar mi furia. Con más de treinta años, tu madre no sólo era incapaz de mantenerse sola sino que también había arriesgado su único patrimonio, el departamento que yo había puesto a su nombre cuando naciste tú. Yo estaba furiosa, pero no se lo hice notar. Para no turbarla más aún, fingí estar serena y le dije: "Veremos qué se puede hacer".

Dado que ella había caído en una apatía total, yo busqué un buen abogado. Me había improvisado detective, había reunido todas las informaciones que podían resultarnos útiles para ganarles la causa a los bancos, y así fue como me enteré de que, desde hacía ya varios años, el médico le suministraba fuertes dosis de psicofármacos. Durante las sesiones, si ella estaba con el ánimo un poco caído, le ofrecía whisky. No hacía más que repetirle que era su discípula predilecta, la más dotada, y que pronto podría instalarse por cuenta propia, abrir un consultorio donde a su vez podría curar a la gente.

Por el solo hecho de repetir esto me estremezco. ¿Te das cuenta? Ilaria, con su fragilidad, con su confusión, con su total carencia de equilibrio, de un día para el otro habría podido curar a la gente. Si no fuera por aquel derrumbe, casi con seguridad eso se habría dado: sin decirme nada, se habría puesto a practicar las mismas artes que su santón.

Por supuesto, nunca se había atrevido a hablarme en forma explícita de ese proyecto suyo. Cuando le preguntaba por qué no usaba de alguna forma su título en Letras, respondía con una sonrisita astuta: "Ya verás, lo usaré...".

Hay muchas cosas que provocan dolor al ser pensadas. Luego, al decirlas, provocan una pena aún mayor. En esos meses imposibles había entendido algo de ella, algo que hasta ese momento nunca se me había ocurrido y que no sé si hago bien en contarte; en fin, dado que he decidido no esconderte nada, vacío la bolsa. Mira, de pronto había comprendido esto: que tu madre no era inteligente en absluto. Me costó mucho entenderlo, aceptarlo. Un poco porque uno siempre se engaña con respecto a los hijos, otro poco porque, con su fingida sapiencia, con toda su dialéctica, ella había conseguido confundirme muy bien. Si hubiera tenido el coraje de darme cuenta a tiempo, la habría protegido más, la habría querido de una manera más firme. Al protegerla, quizás habría logrado salvarla.

Eso era lo más importante, y me di cuenta cuando ya casi no había nada que hacer. Dada la situación general, en ese momento la única acción posible era declararla incapaz de entendimiento y voluntad, intentar un proceso por plagio. El día que le comuniqué que habíamos decidido —con el abogado— tomar por ese camino, tu madre estalló en una crisis de histeria. "Lo haces a propósito —gritaba—, es un plan para sacarme a mi hija." Sin embargo, estoy segura de que, para sus adentros pensaba sobre todo en que, si se la declaraba incapaz, su carrera se habría destruido para siempre. Caminaba vendada por el borde de un precipicio y todavía seguía creyéndose en un prado para hacer un picnic. Después de esa crisis, me

ordenó deshacerme del abogado y no hacer nada
más. Por iniciativa suya, consultó a otro y a partir
de aquel día de los no-me-olvides, no me hizo
saber otra cosa.

¿Comprendes mi estado de ánimo cuando, apo-
yando los codos en la mesa, me pidió dinero?
Claro, lo sé, estoy hablando de tu madre y tal vez
ahora en mis palabras escuchas sólo una vacía crueldad, piensas que tenía razón en odiarme. Pero
recuerda lo que te dije al principio, yo he perdido
mucho más de lo que perdiste tú. Mientras tú eres
inocente de su pérdida, yo no, no lo soy en absoluto. Aunque cada tanto me parece que hablo de ello
con indiferencia, trata de imaginar lo grande que
puede ser mi dolor, lo privado de palabras que está.
Así, la indiferencia es sólo aparente, es el vacío
neumático gracias al cual puedo seguir hablando.

Cuando me pidió que pagara sus deudas, por
primera vez en mi vida le dije que no en forma ter-
minante. "No soy un banco suizo —le respondí—,
no tengo esa cifra. Aunque la tuviera no te la
daría, eres lo bastante grande como para ser respon-
sable de tus actos. Tenía una sola casa y la puse a
tu nombre; si la perdiste, eso ya no me atañe." En
ese momento, se puso a lloriquear. Comenzaba una
frase, la dejaba por la mitad, empezaba otra; en el
contenido y el modo en que se sucedían, yo no
lograba encontrar ningún sentido, ninguna lógica.
Al cabo de unos diez minutos de lamentos, llegó a
su punto crucial: el padre y sus presuntas culpas,
primera entre todas, la poca atención que le había

prestado. "Necesito un resarcimiento, ¿lo entiendes o no?", me gritaba con una luz terrible en los ojos. Entonces, no sé cómo, exploté. El secreto que me había jurado llevar a la tumba me subió a los labios. No bien salió, ya estaba arrepentida, quería hacerlo volver, habría hecho cualquier cosa por tragarme de nuevo esas palabras, pero era demasiado tarde. Ese "tu padre no es tu verdadero padre" ya había llegado a sus oídos. Su rostro se volvió aún más terroso. Se puso de pie lentamente, mirándome fijo.

—¿Qué dijiste?

Su voz apenas se oía. Yo, cosa extraña, estaba otra vez serena .

—Lo que oíste —le contesté—. Dije que tu padre no era mi marido.

¿Cómo reaccionó Ilaria? Simplemente, se fue. Se dio vuelta con un andar más parecido al de un robot que al de un ser humano y se dirigió a la salida del jardín.

—¡Espera! Tenemos que hablar —le grité con una voz odiosamente chillona.

¿Por qué no me levanté, por qué no corrí tras ella, por qué en el fondo no hice nada por detenerla? Porque yo misma había quedado petrificada por mis palabras. Trata de entender. Lo que había custodiado durante tantos años y con tanta firmeza, de improviso había surgido hacia afuera. En menos de un segundo, como un pequeño canario que de pronto encuentra abierta la puerta de su jaula, había volado para llegar a la única persona a la cual yo no quería que llegase.

Esa misma tarde, a las seis, mientras, todavía trastornada, estaba regando las hortensias, una patrulla de la policía caminera vino a avisarme del accidente.

Ahora es de noche, tuve que hacer una pausa. Le di de comer a Buck y a la mirla, comí yo, miré un poco la televisión. Mi coraza hecha jirones no me permite soportar mucho tiempo las emociones fuertes. Para seguir adelante debo distraerme, tomar aliento.

Como ya sabes, tu madre no murió enseguida, pasó diez días suspendida entre la vida y la muerte. En esos días siempre estuve a su lado, esperaba que al menos por un momento abriera los ojos, que me fuese concedida una última posibilidad de pedirle perdón. Estábamos solas en un cuartito lleno de aparatos; un pequeño televisor decía que su corazón todavía latía, otro, que su cerebro estaba casi detenido. El médico que se ocupaba de ella me había dicho que, a veces, los pacientes en ese estado encuentran beneficioso escuchar a alguien a quien han amado. Entonces conseguí su canción preferida de cuando era niña. Con un pequeño grabador se la hacía oír durante horas. En efecto, algo le debe haber llegado porque, ya después de las primeras notas, la expresión de su rostro cambió, la cara se le había distendido y los labios comenzaron a hacer esos movimientos propios de los lactantes después de mamar. Parecía una sonrisa de satisfacción. Vaya uno a saber, tal vez en la pequeña parte de su cerebro todavía activa, custodiaba la memoria de una época serena y era allí donde se había refugiado en aquel momento. Esa pequeña modificación me llenó de alegría. En estos casos nos aferramos a cualquier insignificancia; no me cansaba de acariciarle la cabeza, de repetirle: "Querida, debes salir adelante, todavía tenemos toda una vida para estar juntas, volveremos a empezar todo desde el principio, de una manera distinta". Mientras le hablaba, una imagen aparecía de nuevo ante mí: ella tenía cuatro o cinco años, la veía inquieta en el jardín, llevando del brazo a su muñeca preferida, a quien no dejaba de hablarle. Yo estaba en la cocina, no oía su voz. Cada tanto, de algún lugar del prado me llegaba su risa, una risa fuerte, alegre. Si alguna vez fue feliz, me decía entonces, podrá volver a serlo. Para hacerla renacer hace falta partir de allí, de aquella niña.

Por supuesto, lo primero que me comunicaron los médicos después del accidente fue que, si sobrevivía, sus funciones ya no serían como antes, podía quedar paralítica, o consciente sólo en parte. ¿Y sabes una cosa? En mi egoísmo materno, sólo me preocupaba que continuase viviendo. De qué manera, no tenía ninguna importancia. Es más, empujarla en una silla de ruedas, lavarla, darle de comer, ocuparme de ella como único objetivo de mi vida, habría sido la mejor forma de expiar mi culpa en su totalidad. Si mi amor hubiera sido verdadero, si hubiera sido de veras adulta, habría rezado por su muerte. Sin embargo, al final Alguien la quiso mejor que yo: al atardecer del noveno día, aquella vaga sonrisa desapareció de su cara e Ilaria murió. Me di cuenta enseguida, estaba a su lado; sin embargo, no le avisé a la enfermera de turno porque todavía quería estar un poco más con ella. Le acaricié la cara, le apreté las manos entre las mías como cuando era niña; "tesoro", no dejaba de repetirle, "tesoro". Luego, sin abandonar su mano, me arrodillé junto a la cama y me puse a rezar. Al hacerlo, comencé a llorar.

Cuando la enfermera me tocó un hombro, todavía estaba llorando. "Vamos, venga —me dijo—, le daré un calmante." No quise el calmante, no quería que nada atenuara mi dolor. Me quedé hasta que la llevaron a la cámara mortuoria. Luego tomé un taxi y te fui a buscar a lo de la amiga que te alojaba. Esa misma noche ya estabas en mi casa.

—¿Dónde está mamá? —me preguntaste durante la cena.

—Mamá se fue —te dije entonces—. Fue a hacer un viaje, un largo viaje hasta el cielo.

No bien terminaste, con voz seria me preguntaste:

—¿Podemos saludarla, abuela?

—Claro que sí, mi amor —te respondí, y después, tomándote en brazos, te llevé al jardín.

Permanecimos largo tiempo de pie en el prado, mientras tú hacías adiós con tu manita en dirección a las estrellas.

1º DE DICIEMBRE

En estos días empecé a estar de muy malhumor.
No lo desencadenó nada concreto, el cuerpo es
así, tiene su equilibrio interno, basta una insignificancia para alterarlo. Ayer por la mañana, cuando
la señora Razman vino con las compras, al verme
con una fea expresión en la cara dijo que, según
ella, la culpa era de la luna. De hecho, la noche
anterior había habido luna llena. Y si la luna puede
mover los mares y hacer crecer con más rapidez la
achicoria del huerto, ¿por qué no debería tener
poder para influir también en nuestros humores?
De agua, de gas, de minerales, ¿de qué más estamos
hechos? De todos modos, antes de irse me dejó un
notable paquete de revistas mundanas y así me pasé
todo el día atontándome con sus páginas. ¡Caigo
todas las veces! Apenas las veo, me digo: está bien,
las hojeo un poco, no más de media hora, y luego
voy a hacer algo más serio e importante. En vez de

eso, no me separo de ellas hasta no leer la última palabra. Me entristezco con la vida infeliz de la princesa de Mónaco, me indigno por los amores proletarios de su hermana, me emociono ante cualquier noticia desgarradora que me cuenten con abundancia de detalles. ¡Y además están las cartas! ¡Nunca deja de maravillarme lo que la gente tiene el coraje de escribir! No soy una vieja gazmoña, al menos no creo serlo, y sin embargo, no te niego que ciertas libertades me dejan bastante perpleja.

Hoy la temperatura volvió a bajar. No hice mi habitual paseo por el jardín, tenía miedo de que el aire fuera demasiado fuerte; agregado al hielo que llevo adentro, habría podido destrozarme como a una vieja rama congelada. Quién sabe si todavía estás leyendo o si, al conocerme mejor, te dio tal repulsión que no puedes continuar con la lectura. La urgencia que me posee en este momento no me permite ninguna postergación, no puedo detenerme justo ahora ni tampoco escabullirme. Si bien conservé aquel secreto durante tantos años, ahora ya no es posible hacerlo. Te dije al principio que, ante tu angustia por el hecho de no tener un centro, yo sentía una angustia similar a la tuya, quizás incluso más grande. Sé que tu referencia a un centro —o mejor dicho, a la carencia de él— está muy ligada al hecho de que nunca supiste quién era tu padre. Así como me resultó tristemente natural decirte adónde se había ido tu madre, ante las preguntas sobre tu padre, nunca estuve en condiciones de responder. ¿Cómo podía estarlo? Cierto verano,

Ilaria había hecho sola un largo viaje de vacaciones por Turquía, y volvió de allí embarazada. Ya tenía más de treinta años y, a esa edad, a las mujeres que todavía no tienen un hijo las invade un extraño frenesí, a toda costa quieren uno; de qué manera y con quién no tiene ninguna importancia.

En esa época, además, casi todas eran feministas; tu madre, con un grupo de amigas, había fundado un club. Había muchas cosas justas en lo que decían, cosas que yo compartía, pero entre esas cosas justas también había mucha violencia, ideas malsanas y distorsionadas. Una de ésas era que las mujeres debían ser dueñas absolutas de su cuerpo y, por lo tanto, tener o no un hijo dependía sólo de ellas. El hombre no era más que una necesidad biológica y se usaba como simple necesidad. Tu madre no fue la única en comportarse así; dos o tres de sus amigas tuvieron hijos de la misma manera. Te diré, no es del todo incomprensible. La capacidad de dar vida brinda una sensación de omnipotencia. La muerte, la oscuridad y la precariedad se alejan; pones en el mundo otra parte de ti y, ante este milagro, todo desaparece.

En apoyo de su teoría, tu madre y sus amigas citaban al mundo animal: "Las hembras —decían— van al encuentro del macho sólo en el momento del apareamiento, luego cada uno toma su camino y los cachorros se quedan con la madre". No estoy en condiciones de verificar si esto es verdad o no. Sin embargo, sé que nosotros somos seres humanos, cada uno de nosotros nace con una cara distinta a

todas las demás, y esa cara está con nosotros durante
toda la vida. Un antílope nace con hocico de antílope, un león con el de león; son iguales, idénticos
a todos los otros animales de su especie. En la
naturaleza, el aspecto es siempre el mismo, mientras
que la cara la tiene el hombre y nadie más. La cara,
¿entiendes? En la cara está todo. Está tu historia,
están tu padre, tu madre, tus abuelos y bisabuelos,
tal vez hasta un tío lejano de quien ya nadie se
acuerda. Detrás de la cara está la personalidad, las
cosas buenas y menos buenas que recibiste de tus
antepasados. La cara es nuestra primera identidad,
lo que nos permite ubicarnos en la vida y decir:
vean, aquí estoy. Así, cuando a los trece, catorce
años, comenzaste a pasar horas enteras frente al
espejo, comprendí que era justo eso lo que estabas
buscando. Por cierto, mirabas los granitos y los
puntos negros, o la nariz demasiado grande de
repente, pero también otra cosa. Al sustraer y
eliminar los rasgos de tu familia materna, tratabas
de hacerte una idea sobre la cara del hombre que
te había puesto en el mundo. Aquello sobre lo cual
tu madre y sus amigas no habían reflexionado bastante era precisamente eso: que un día el hijo,
observándose en el espejo, habría entendido que
dentro de él había alguien más y que —de ese
alguien más— querría saberlo todo. Existen personas
que persiguen incluso durante toda la vida la cara
de la propia madre, del propio padre.

Ilaria estaba convencida de que el peso de la
genética en el desarrollo de una vida era casi nulo.

Para ella, las cosas importantes eran la educación, el ambiente, el modo de crecer. Yo no compartía esa idea suya; para mí, los dos factores tenían la misma importancia: mitad el ambiente, mitad lo que tenemos dentro de nosotros desde el nacimiento.

Hasta que no fuiste a la escuela no tuve ningún problema, nunca te preguntabas por tu padre y yo me guardaba bien de hablarte de él. Con el ingreso a la primaria, gracias a las compañeras y a esos maléficos temas de redacción dados por las maestras, de improviso te diste cuenta de que en tu vida cotidiana faltaba algo. Por supuesto, en tu clase había muchos hijos de separados y situaciones irregulares, pero nadie tenía con respecto al padre ese vacío total que tenías tú. ¿Cómo podía explicarte, a la edad de seis años, de siete, lo que había hecho tu madre? Y además, en el fondo, yo tampoco sabía nada, salvo que habías sido concebida allá, en Turquía. Así, para inventar una historia un poco creíble, usé el único dato cierto, el país de origen.

Había comprado un libro de cuentos de hadas orientales y cada noche te leía uno. Sobre esa base, inventé uno dedicado a ti, ¿lo recuerdas todavía? Tu madre era una princesa y tu padre un príncipe de la Media Luna. Como todos los príncipes y las princesas, se amaban a tal punto que estaban dispuestos a morir el uno por el otro. Sin embargo, en la corte había muchos envidiosos de ese amor. El más envidioso de todos era el Gran Visir, un hombre poderoso y malvado. Había sido justamente él quien había arrojado un sortilegio terrible sobre

Susanna Tamaro

la princesa y la criatura que llevaba en su seno. Por suerte, el príncipe fue avisado por un fiel servidor, y así tu madre, de noche y vestida como una campesina, abandonó el castillo y se refugió aquí, en la ciudad donde viste la luz.

—¿Soy hija de un príncipe? —me preguntabas entonces con ojos radiantes.

—Claro —te respondía yo—. Pero es un secreto secretísimo, un secreto que no le debes contar a nadie.

¿Qué esperaba hacer con esa extraña mentira? Nada, sólo regalarte algún año más de serenidad. Sabía que un día habrías dejado de creer en mi estúpido cuento de hadas. Sabía que ese día comenzarías a odiarme. Sin embargo, me era absolutamente imposible no contártelo. Incluso apelando a todo mi escaso coraje, nunca iba a ser capaz de decirte: "No sé quién es tu padre, tal vez hasta tu madre lo ignoraba".

Eran los años de la liberación sexual, la actividad erótica era considerada como una función normal del cuerpo: se llevaba a cabo cada vez que uno tenía ganas, un día con uno, un día con otro. Vi aparecer al lado de tu madre a decenas de jovencitos, no recuerdo uno solo que haya durado más de un mes. Ya inestable de por sí, Ilaria había quedado golpeada más que otros por esa precariedad amorosa. Aun cuando jamás le impedí nada, ni jamás la critiqué de ninguna forma, yo estaba bastante turbada ante esa repentina libertad en las costumbres. No era tanto la promiscuidad lo que me impactaba,

108

sino el gran empobrecimiento de los sentimientos. Una vez caídas las prohibiciones y la unicidad de la persona, también había caído la pasión. Ilaria y sus amigas me parecían invitadas a un banquete aquejadas de un fuerte resfrío; por educación comían todo lo que se les ofrecía, pero sin sentirle el gusto: zanahorias, carne asada y hojaldres tenían el mismo sabor para ellas.

Por cierto, en la elección de tu madre estaba incluida la nueva libertad de costumbres, pero quizás figuraba también la intromisión de otra cosa. ¿Qué sabemos del funcionamiento de la mente? Mucho, pero no todo. ¿Quién puede decir entonces si ella, en algún oscuro lugar del inconsciente, no intuyó que aquel hombre que tenía delante no era su padre? Muchas de sus inquietudes, de su inestabilidad, ¿acaso no le venían de esto? Mientras fue pequeña, mientras era adolescente y joven, nunca me planteé esta pregunta; la ficción en la que la había hecho crecer era perfecta. Pero cuando regresó de aquel viaje, con la panza de tres meses, entonces todo me volvió a la mente. No se huye de las falsedades, de las mentiras. O mejor dicho, se puede huir por poco tiempo, después, cuando uno menos lo espera, resurgen y ya no son dóciles como en el momento en que las dijiste, aparentemente inocuas, no; en el período de alejamiento se han transformado en monstruos horribles, en ogros voraces. Las descubres y, un segundo después, te derrumban, te devoran a ti y a todo lo que te rodea, con una avidez tremenda. Un día, a los diez años, volviste de la escuela llorando. "¡Mentirosa!", me dijiste, y sin más te encerraste en tu cuarto. Habías descubierto la mentira del cuento de hadas.

Mentirosa podría ser el título de mi autobiografía. Desde que nací, dije una sola mentira.

Con ella destruí tres vidas.

4 DE DICIEMBRE

La mirla todavía está frente a mí, sobre la mesa. Tiene un poco menos de apetito que en días anteriores. En lugar de llamarme sin descanso, se queda quieta en su lugar, ya no saca la cabeza por el agujero de la caja, apenas la veo asomar las plumas del copete. Esta mañana, a pesar del frío, fui al vivero con los señores Razman. Estuve indecisa hasta el último momento; la temperatura desalentaba hasta a un oso y, además, en un rincón oscuro de mi corazón, había una voz que me preguntaba si en realidad era importante para mí plantar otras flores. Pero mientras marcaba el número de los Razman para cancelar el compromiso, vi desde la ventana los colores desvaídos del jardín y me arrepentí de mi egoísmo. Tal vez yo no vea otra primavera, pero tú sí las verás.

¡Qué malestar el de estos días! Cuando no escribo, camino por los cuartos sin encontrar paz en ningún lugar. No hay una sola actividad, de las pocas que estoy en condiciones de hacer, que me permita acercarme a un estado de calma, apartar un segundo el pensamiento de los recuerdos tristes. Tengo la impresión de que el funcionamiento de la memoria se parece un poco al del congelador. ¿Te acuerdas de cuando sacas un alimento dejado allí durante largo tiempo? Al principio está duro como un ladrillo, no tiene olor, no tiene sabor, está cubierto por una pátina blanca; sin embargo, apenas lo pones sobre el fuego, poco a poco retoma su forma, su color, y vuelve a llenar la cocina con su aroma. De la misma manera, los recuerdos tristes dormitan durante mucho tiempo en una de las innumerables cavernas del recuerdo, están allí incluso durante años, decenios, durante toda una vida. Luego, un buen día, vuelven a la superficie; el dolor que los había acompañado está presente de nuevo, intenso y agudo como lo era aquel día de hace tantos años.

Te estaba contando de mí, de mi secreto. Pero para contar una historia es necesario partir desde el principio, y el principio está en mi juventud, en el aislamiento un poco anómalo en el que había crecido y seguía viviendo. En mis tiempos, la inteligencia para una mujer era una dote muy negativa con respecto a los fines del matrimonio; para las costumbres de la época una mujer no debía ser más que una reproductora estática y adoradora. Una mujer que hiciera preguntas, una esposa curiosa, inquieta, era lo último que podía desearse. Por eso, la soledad de mi juventud fue de veras grande. Para hablar con sinceridad, a los dieciocho años, dado que era bonita y también estaba en una posición bastante acomodada, tenía bandadas de galanes a mi alrededor. Sin embargo, apenas mostraba que sabía hablar, apenas les abría mi corazón con los pensamientos que se agitaban en él, se hacía el vacío a mi alrededor. Por supuesto, también habría podido quedarme callada y fingir ser lo que no era, pero por desgracia —o por suerte— no obstante la educación recibida, una parte de mí todavía estaba viva y esa parte se negaba a mostrarse falsa.

Terminada la escuela secundaria, no seguí estudiando porque mi padre se opuso. Se trató de una renuncia muy difícil para mí. Justamente por eso estaba sedienta de conocimientoo. No bien algún jovencito afirmaba estar estudiando medicina, lo asaltaba con preguntas, quería saber todo. Hacía lo mismo con los futuros ingenieros, con los futuros abogados. Ese comportamiento mío desorientaba mucho, parecía que me interesaba más su actividad que la persona, y tal vez así era efectivamente. Cuando hablaba con mis amigas, con mis compañeras de escuela, tenía la sensación de pertenecer a mundos ubicados a años luz de distancia. La gran división entre esas muchachas y yo era la malicia femenina. Así como yo carecía de ella en forma total, así las otras la habían desarrollado hasta llegar a la máxima potencia. Detrás de su aparente arrogancia, detrás de su aparente seguridad, los hombres son frágiles en extremo, ingenuos, en su interior tienen palancas muy primitivas, basta tocar una para hacerlos caer en la sartén como pescaditos fritos. Yo lo comprendí bastante tarde, pero mis amigas ya lo sabían entonces, a los quince años, a los dieciséis.

Con talento natural recibían notitas o las rechazaban, las escribían en un tono o en el otro, aceptaban citas y no iban, o iban muy tarde. Durante los bailes, rozaban la parte justa del cuerpo y, al hacerlo, miraban al hombre a los ojos con la expresión intensa de las ciervas jóvenes. Ésa es la malicia femenina, esos son los halagos que llevan al triunfo con los hombres. Pero yo era como una papa, no entendía absolutamente nada de lo que sucedía a mi alrededor. Aunque te pueda parecer extraño, había un profundo sentido de libertad en mí, y esa lealtad me decía que jamás de los jamases habría podido enredar a un hombre. Pensaba que algún día encontraría a un jovencito con quien poder hablar hasta las últimas horas de la noche sin cansarme; hablando y hablando nos habríamos dado cuenta de que veíamos las cosas del mismo modo, de que sentíamos las mismas emociones. Entonces nacería el amor, sería un amor basado en la amistad, en la estima, no en la facilidad del embrollo.

Quería una amistad amorosa y en esto era muy viril, viril en el sentido antiguo. Era la relación igualitaria, creo, lo que causaba el terror de mis cortejantes. De esa manera, lentamente, me había reducido al papel que por lo general les toca a las feas. Estaba llena de amigos, pero eran amistades en sentido único; venían a mí sólo para confesarme sus penas de amor. Una después de la otra, mis compañeras se casaban. En cierto momento de mi vida me parece no haber hecho otra cosa que asistir a casamientos. Mis coetáneas tenían chicos y yo siempre era la tía soltera, vivía en casa con mis padres, ya casi resignada a ser señorita por toda la eternidad. "¿Pero qué tienes en la cabeza? —decía mi madre—. ¿Será posible que no te guste ni Mengano ni Zutano?" Para ellos era evidente que las dificultades que encontraba con el otro sexo derivaban de lo extraño de mi carácter. ¿Me disgustaba? No lo sé.

En realidad, no sentía dentro de mí el ardiente deseo de formar una familia. La idea de traer un hijo al mundo me provocaba cierta desconfianza. De chica había sufrido demasiado y temía hacer sufrir de la misma manera a una criatura inocente. Además, aunque vivía todavía en casa, era completamente independiente, dueña de todas las horas de mis días. Para ganar algo de dinero daba lecciones de apoyo de latín y griego, mis materias preferidas. Salvo eso, no tenía otros compromisos, podía pasar tardes enteras en la biblioteca municipal sin tener que rendir cuentas a nadie, podía ir a la montaña todas las veces que se me ocurría.

En fin, con respecto a las de otras mujeres, mi vida era libre, y yo tenía mucho miedo de perder la libertad. Sin embargo, toda esa libertad, esa aparente felicidad, con el pasar del tiempo la fui sintiendo cada vez más falsa, más forzada. La soledad, que al principio me había parecido un privilegio, comenzó a pesarme. Mis padres envejecían, papá había tenido un ataque de apoplejía y caminaba mal. Todos los días, llevándolo del brazo, lo acompañaba a comprar el diario, tendría por entonces veintisiete o veintiocho años. Al ver mi imagen reflejada junto a la suya en las vidrieras, de golpe me sentí vieja yo también y comprendí qué curso estaba tomando mi vida: en poco tiempo él moriría, mi madre lo seguiría, me quedaría sola en la gran casa llena de libros, para pasar el tiempo tal vez me pusiera a bordar o a hacer acuarelas, y los años volarían uno detrás del otro. Hasta que una mañana alguien, preocupado por no verme desde hacía unos días en el jardín, llamaría a los bomberos, los bomberos echarían la puerta abajo y encontrarían mi cuerpo tirado en el piso. Estaba muerta y lo que quedaba de mí no era muy distinto el armazón que queda en la tierra cuando mueren los insectos.

Sentía mi cuerpo de mujer marchitarse sin haber vivido y eso me provocaba una gran tristeza. Y además me sentía sola, muy sola. Desde mi nacimiento, nunca había tenido a alguien con quien hablar, con quien hablar de veras, quiero decir. Por cierto, era muy inteligente, leía mucho, como decía mi padre al final, con cierto orgullo: "Olga no se casará munca porque tiene demasiada cabeza". Pero toda esa supuesta inteligencia no llevaba a ninguna parte; en fin, yo no era capaz de hacer un gran viaje, de estudiar algo en profundidad, por el hecho de no haber asistido a la universidad me sentía con las alas cortadas. En realidad, la causa de mi ineptitud, de la incapacidad para aprovechar mis dotes, no provenía de allí. Después de todo, Schliemann había descubierto Troya en calidad de autodidacta, ¿no? Mi freno era otro, el pequeño muerto que llevaba dentro, ¿recuerdas? Era él quien me frenaba, era él quien me impedía avanzar. Estaba quieta y esperaba. ¿Qué? No tenía la más mínima idea.

El día en que Augusto vino por primera vez a casa, había nevado. Lo recuerdo porque en estos lugares no nieva a menudo y porque, justamente a causa de la nieve, ese día nuestro invitado llegó al almuerzo con atraso. Augusto, como mi padre, se ocupaba de importar café. Había venido a Trieste para tratar la venta de nuestra empresa. Después del ataque de apoplejía, papá, carente de herederos masculinos, había decidido liberarse de la firma para pasar los últimos años en paz. En un primer momento, Augusto me pareció muy antipático. Venía de Italia, como se decía entre nosotros y, como todos los italianos, tenía unos remilgos que yo consideraba irritantes. Es extraño, pero sucede a menudo que personas importantes de nuestra vida, a primera vista no nos gustan para nada. Después del almuerzo, mi padre se retiró a descansar y a mí me dejaron en la sala para hacerle compañía al invitado hasta que le llegara el momento de tomar su tren. Estaba aburridísima. En aquella hora o poco más que transcurrimos juntos, lo traté con grosería. A cada pregunta suya respondía con un monosílabo; si él se quedaba callado, también yo guardaba silencio. Cuando, ya en la puerta, me dijo: "Bueno, me despido, señorita", le ofrecí la mano con el mismo alejamiento con que una señora de la nobleza la concede a un hombre de rango inferior.

—Por ser un italiano, el señor Augusto es simpático —dijo mi madre durante la cena.

—Es una persona honesta —respondió mi padre—. Y también es muy hábil en los negocios.

Adivina qué sucedió en ese momento. Mi lengua se movió sola.

—¡Y no tiene alianza en el dedo! —exclamé con repentina vivacidad.

—En efecto; pobre, es viudo —asintió mi padre.

Cuando papá habló, ya estaba roja como un pimiento y me sentía muy avergonzada de mí misma.

Dos días después, al regresar de una clase, encontré en la entrada un paquete envuelto en papel plateado. Era el primer paquete que recibía en mi vida. No lograba entender quién me lo había mandado. Dentro del papel había una nota. *¿Conoce estos dulces?*. Debajo estaba la firma de Augusto.

Esa noche, con aquellos dulces sobre la mesa de luz, no pude dormir. Los habrá mandado como un acto de cortesía hacia mi padre, me decía, y mientras tanto comía un mazapán tras otro. Tres semanas más tarde volvió a Trieste "por negocios", dijo durante el almuerzo, pero en lugar de irse enseguida, como la otra vez, se quedó un poco en la ciudad. Antes de despedirse le pidió permiso a papá para llevarme a dar un paseo en auto, y mi padre, sin consultarme siquiera, se lo dio. Paseamos toda la tarde por las calles de la ciudad; él hablaba poco, me hacía preguntas sobre los monumentos y luego se quedaba en silencio escuchándome. Me escuchaba, y eso para mí era un verdadero milagro.

La mañana en que se fue me hizo llegar un ramo de rosas rojas. Mi madre estaba toda excitada, yo simulaba no estarlo pero, para abrir la nota y leerla, esperé varias horas. Al poco tiempo sus visitas se hicieron semanales. Todos los sábados venía a Trieste y todos los domingos volvía a su ciudad. ¿Recuerdas lo que hacía el Principito para domesticar al zorro? Iba todos los días a su cueva y esperaba que saliera. De esa forma, poco a poco, el zorro aprendió a conocerlo y a no tener miedo. No sólo eso, también aprendió a emocionarse al ver todo lo que le recordaba a su pequeño amigo. Seducida por el mismo tipo de táctica, yo también, al esperarlo, comenzaba a inquietarme ya desde el jueves. El proceso de domesticación había comenzado. Un mes más tarde, toda mi vida giraba en torno al fin de semana. En poco tiempo había surgido una gran confianza entre nosotros. Con él por fin podía hablar, apreciaba mi inteligencia y mi deseo de saber; yo en él apreciaba la calma, su disposición para escuchar, esa sensación de seguridad y protección que pueden dar a una mujer joven los hombres de más edad.

Nos casamos con una sobria ceremonia el primero de junio de 1940. Diez días después, Italia entró en guerra. Por razones de seguridad, mi madre se refugió en un pueblito de montaña, en el Véneto, mientras yo, con mi marido, me fui a L'Aquila.

A ti, que leíste la historia de aquellos años sólo en los libros, que la estudiaste en lugar de vivirla, te parecerá extraño que, de todos los sucesos trágicos de aquella época, nunca te haya mencionado nada. Estaba el fascismo, existían las leyes raciales, había estallado la guerra y yo seguía ocupándome sólo de las pequeñas infelicidades personales, de los milimétricos cambios de mi alma. Sin embargo, no creas que mi actitud era única, al contrario. Salvo una pequeña minoría politizada, en nuestra ciudad todos se comportaron de esa manera. Mi padre, por ejemplo, consideraba que el fascismo era una payasada. Cuando estaba en casa llamaba a Mussolini "ese vendedor de sandías". Pero luego iba a cenar·con los jerarcas y se quedaba hablando con ellos hasta tarde. De la misma manera, yo encontraba absolutamente ridículo y fastidioso ir al sábado italiano, marchar y cantar con los colores de una viuda. Sin embargo, iba igual, pensaba que era sólo una molestia a la que había que someterse para vivir en paz. Por cierto, un comportamiento de esa clase no es grandioso, pero resulta muy común. Vivir en paz es una de las máximas aspiraciones del hombre, lo era en esa época y probablemente todavía lo es ahora.

En L'Aquila fuimos a vivir a la casa de la familia de Augusto, un gran departamento en el primer piso de un edificio lujoso de la nobleza, en el centro. Estaba decorado con muebles oscuros, pesados; la luz era escasa, el aspecto, siniestro. Apenas entré, sentí que se me encogía el corazón. Me pregunté si era allí donde tendría que vivir, con un hombre a quien conocía desde hacía sólo seis meses, en una ciudad donde no tenía ni un amigo. Mi marido comprendió enseguida el estado de angustia en el que me encontraba y, durante las primeras dos semanas, hizo lo posible por distraerme. Un día sí y un día no, sacaba el auto e íbamos a dar un paseo por los montes de los alrededores. Ambos teníamos pasión por las excursiones. Al ver aquellas montañas tan hermosas, aquellos pueblos pegados a las cimas como pesebres, me serené un poco, de alguna manera me parecía no haber dejado el Norte, mi casa. Seguíamos hablando mucho. Augusto amaba la naturaleza, en especial los insectos y, mientras caminábamos, me explicaba montones de cosas. Gran parte de mis conocimientos sobre las ciencias naturales la debo justamente a él.

Al final de aquellas dos semanas que habían sido nuestro viaje de bodas, él retomó el trabajo y yo comencé mi vida, sola en la gran casa. Había conmigo una vieja criada, era ella quien se ocupaba de las tareas principales. Como todas las esposas burguesas, sólo debía programar el almuerzo y la cena, por lo demás no tenía nada que hacer. Tomé la costumbre de salir todos los días sola, a dar largos paseos. Recorría las calles de arriba abajo con paso furioso, tenía muchos pensamientos en la cabeza, y en medio de todos esos pensamientos no lograba ver con claridad.

Deteniéndome de repente, me preguntaba si lo amaba o si todo no habría sido un gran deslumbramiento. Cuando estábamos sentados a la mesa o a la noche en la sala, lo miraba y me preguntaba qué sentía. Sentía ternura, eso era verdad, y con toda seguridad él también la sentía con respecto a mí. ¿Pero era eso el amor? ¿Era sólo eso? Al no haber sentido otra cosa, no podía darme una respuesta.

Al cabo de un mes llegaron los primeros chismes a oídos de mi marido. "La alemana —habían dicho voces anónimas— anda sola por la calle a cualquier hora." Yo me asombré. Habiendo crecido con otras costumbres, nunca podía haber imaginado que unos inocentes paseos resultarían escandalosos. Augusto estaba disgustado, entendía que para mí la cosa era incomprensible, pero, en nombre de la paz ciudadana y de su propio buen nombre, me rogó que interrumpiera mis salidas solitarias. Después de seis meses de aquella vida, me sentía completamente apagada. El pequeño muerto de mi interior se había convertido en un monstruo enorme; yo actuaba como una autómata, tenía los ojos opacos. Cuando hablaba, oía mis palabras distantes, como si hubieran salido de la boca de otro. En el interín había conocido a las esposas de los colegas de Augusto y los jueves me encontraba con ellas en un café del centro.

Aunque éramos casi coetáneas, en verdad teníamos pocas cosas que decirnos. Hablábamos la misma lengua, pero ése era nuestro único punto en común.

Al regresar a su ambiente, Augusto comenzó a actuar como un hombre de su región. Durante el almuerzo permanecíamos casi en silencio; si me esforzaba por contarle algo, respondía de vez en cuando con un monosílabo. Además, a la noche iba a menudo al club y, cuando se quedaba en casa, se encerraba en su estudio para ordenar sus colecciones de coleópteros. Su sueño dorado consistía en descubrir un insecto que todavía no fuese conocido para nadie, de ese modo su nombre pasaría a la posteridad a través de los libros científicos. Yo habría querido transmitir el nombre de otra manera, es decir, con un hijo; ya tenía treinta años y sentía que el tiempo se deslizaba por mis hombros cada vez más rápido. Desde ese punto de vista, las cosas iban muy mal. Después de una primera noche algo decepcionante, no pasó mucho más. Yo tenía la sensación de que Augusto, más que ninguna otra cosa, quería encontrar a alguien en casa a la hora de las comidas, alguien a quien exhibir con orgullo los domingos en la catedral; parecía no importarle mucho la persona que estaba detrás de esa imagen tranquilizadora. ¿Dónde había quedado el hombre agradable y dispuesto de la época del cortejo? ¿Era posible que el amor tuviese que terminar de ese modo? Augusto me había contado que los pájaros en primavera cantan más fuerte para complacer a las hembras, para inducirlas a hacer el nido junto con ellos. Él también había actuado así; una vez que me tuvo segura en el nido, dejó de interesarse por mi existencia. Yo estaba allí, lo mantenía cálido y basta.

¿Lo odiaba? No. Te parecerá extraño, pero no lograba odiarlo. Para odiar a alguien es necesario que te hiera, que te haga daño. Augusto no me hacía nada, ése era el problema. Es más fácil morir de nada que de dolor; ante el dolor uno puede rebelarse, ante la nada, no.

Por supuesto, cuando hablaba con mis padres les decía que todo andaba bien, me esforzaba por fingir la voz de la joven esposa feliz. Estaban seguros de haberme dejado en buenas manos y yo no quería alterar esa seguridad. Mi madre seguía escondida en la montaña, mi padre se había quedado solo en la casa familiar con una prima lejana que lo asistía. Una vez por mes me preguntaba si había novedades y yo le respondía con regularidad que no, que todavía no. Le daba mucha importancia al hecho de tener un nietito; con la senilidad le había aparecido una ternura que nunca había tenido antes. Lo sentía un poco más próximo a mí con ese cambio, y me disgustaba no confirmar sus expectativas. Sin embargo, al mismo tiempo, no tenía la suficiente confianza con él como para contarle los motivos de aquella prolongada esterilidad. Mi madre enviaba largas cartas llenas de retórica. Mi adorada hija, escribía al comienzo de la página, y debajo hacía una lista minuciosa de todas las pocas cosas que le habían sucedido ese día. Al final, siempre me comunicaba que había terminado de tejer el enésimo conjuntito para el nieto a punto de llegar. Mientras tanto, yo me encerraba en mí misma, cada mañana me encontraba más fea al mirarme al espejo. Cada tanto, por la noche le decía a Augusto:

—¿Por qué no hablamos?

—¿De qué? —respondía él sin levantar la vista de la lupa con que estaba examinando un insecto.

—No lo sé —decía yo—. Quizás podamos contarnos algo.

Entonces él sacudía la cabeza.

—Olga —decía—, tú de veras tienes una imaginación enferma.

Es un lugar común decir que los perros, después de una larga convivencia con los dueños, poco a poco terminan pareciéndose a ellos. Tenía la impresión de que a mi marido le estaba pasando lo mismo: más pasaba el tiempo, más se parecía en todo a un coleóptero. Sus movimientos ya no tenían nada de humano, no eran fluidos sino geométicos, cada gesto parecía producido por un resorte. Y así, su voz no tenía timbre, subía con un sonido metálico por algún lugar impreciso de la garganta. Se interesaba por los insectos y por su trabajo en forma obsesiva; salvo esas dos cosas, no había nada que le provocase así fuera un mínimo placer. Cierta vez, sosteniéndolo con una pinza, me mostró un insecto horrible, me parece que se llamaba grillo real. "Mira qué mandíbulas —me había dicho—, con esto de veras puede comer de todo." Esa misma noche lo soñé con esa forma, era enorme y devoraba mi vestido de novia como si fuera cartón.

Después de un año comenzamos a dormir en cuartos separados; él se quedaba levantado hasta tarde con sus coleópteros y no quería molestarme, eso al menos había dicho. Contado así, mi matrimonio te parecerá algo extraordinariamente terrible, pero de extraordinario no tenía nada. En aquella época, los matrimonios eran casi todos así, pequeños infiernos domésticos en los cuales uno de los dos antes o después debía sucumbir.

¿Por qué no me rebelaba, por qué no hacía mi valija para volver a Trieste?

Porque entonces no había ni separación ni divorcio. Para romper un matrimonio debían existir graves maltratos, o era preciso tener un temperamento rebelde, huir, irse para siempre a vagar por el mundo. Pero la rebelión, como sabes, no forma parte de mi carácter, y Augusto nunca me levantó no digo un dedo, ni siquiera la voz. Nunca me hizo faltar nada. El domingo, al volver de misa, nos deteníamos en la confitería de los hermanos Nurzia y me hacía comprar todo lo que se me venía en gana. No te será difícil imaginar con qué sentimientos me levantaba cada mañana. Después de tres años de matrimonio, tenía un solo pensamiento en la cabeza, y era el de la muerte.

Augusto nunca me hablaba de su esposa anterior; las pocas veces que, con discreción, le hice preguntas, él cambiaba de tema. Con el tiempo, al caminar en las tardes de invierno por esas habitaciones espectrales, me convencí de que Ada —así se llamaba la primera esposa— no había muerto de una enfermedad o por una desgracia, sino que se había suicidado. Cuando la criada no estaba, pasaba el tiempo destornillando ejes, desmontando cajones, buscaba con furia una huella, una señal que confirmara mi sospecha. Un día de lluvia, en el fondo de un armario encontré vestidos de mujer; eran los suyos. Saqué uno oscuro y me lo puse, teníamos el mismo talle. Mientras me miraba en el espejo, comencé a llorar. Lloraba callada, sin sollozos, como quien ya sabe que su destino está marcado. En un rinón de la casa había un reclinatorio de madera maciza que había pertenecido a la madre de Augusto, una mujer muy devota. Cuando no sabía qué hacer me encerraba en ese cuarto y me quedaba horas allí, con las manos unidas. ¿Rezaba? No lo sé. Hablaba o trataba de hablar con Alguien que, suponía yo, estaba por encima de mi cabeza. Decía: Señor, hazme encontrar mi camino, si mi camino es éste, ayúdame a soportarlo. La asistencia habitual a la iglesia —a la que me vi obligada en mi condición de esposa— me empujó a plantearme de nuevo muchas preguntas, preguntas que había sepultado en mi interior desde la infancia. El incienso me aturdía tanto como la música del órgano. Mientras escuchaba las Sagradas Escrituras, algo vibraba débilmente en mi interior. Sin embargo, cuando me encontraba con el párroco por la calle, sin las vestiduras sagradas, cuando miraba su nariz de buen bebedor y sus ojos un poco porcinos, cuando escuchaba sus preguntas banales e irremediablemente falsas, ya no vibraba nada y me decía que todo eso no era más que un engaño, una manera de hacer soportar a las mentes débiles la opresión en la cual debían vivir. No obstante, en el silencio de la casa, me gustaba leer el Evangelio. Consideraba extraordinarias muchas palabras de Jesús, me enfer-

vorizaban a tal punto que las repetía muchas veces
en voz alta.

Mi familia no era religiosa, mi padre se consideraba
un libre pensador y mi madre, convertida desde
hacía dos generaciones, como ya te dije, iba a misa
por puro y simple conformismo social. Las pocas
veces que le pregunté acerca de los hechos de la fe,
me había dicho: "No sé, nuestra familia se quedó
sin religión". Sin religión. Esas palabras me pesaron
como una roca sobre la fase más delicada de mi infancia, aquella en la que me preguntaba acerca de
las cosas más grandes. Había una especie de marca
de infamia en esa frase; habíamos abandonado una
religión para abrazar otra por la cual no sentíamos
el más mínimo respeto. Éramos traidores y, dada nuestra condición de traidores, para nosotros no había
lugar ni en el cielo ni en la tierra, ni en ninguna
parte.

Así, salvo las pocas anécdotas aprendidas con
las monjas, hasta los treinta años no conocí nada
más del saber religioso. El reino de Dios está dentro
de vosotros, me repetía mientras caminaba por la
casa vacía. Lo repetía y trataba de imaginarme dónde
estaría. Veía mi ojo como un periscopio que bajaba
dentro de mí y escrutaba las ansiedades del cuerpo,
los pliegues mucho más misteriosos de la mente.
¿Dónde estaba el reino de Dios? No lograba verlo;
había niebla alrededor de mi corazón, una niebla
pesada, no las verdes y luminosas colinas como
imaginaba que sería el paraíso. En los momentos de
lucidez, me decía que estaba volviéndome loca,

como todas las solteras y las viudas; lenta, imperceptiblemente, caí en el delirio místico. Al cabo de cuatro años de esa vida, cada vez me costaba más distinguir lo falso de lo verdadero. Las campanas de la vecina catedral indicaban la hora cada quince minutos; para no oírlas, o para oírlas menos, me ponía algodón en las orejas.

Me había invadido la obsesión de que los insectos de Augusto no estaban muertos. De noche escuchaba el crujido de sus patas por toda la casa; caminaban por todos lados, trepaban por el empapelado, chillaban sobre las baldosas de la cocina, se ajetreaban sobre las alfombras de la sala. Estaba allí en la cama y contenía la respiración esperando que entraran en mi cuarto por la rendija de la puerta. Trataba de esconder mi estado frente a Augusto. Por la mañana, con una sonrisa en los labios, le anunciaba lo que haría para el almuerzo y no dejaba de sonreír hasta que atravesaba la puerta. Con la misma sonrisa estereotipada lo recibía a su regreso.

Como mi matrimonio, la guerra había entrado en su quinto año; por el mes de febrero las bombas cayeron también sobre Trieste. Durante el último ataque, la casa de mi infancia quedó destruida en forma total. La única víctima había sido el caballo de paseo de mi padre; lo encontraron en el jardín con dos patas cortadas.

En aquellos tiempos no existía la televisión, las noticias se desplazaban con más lentitud. Supe que habíamos perdido la guerra al día siguiente porque mi padre me llamó por teléfono. Ya por su

forma de decir "hola" comprendí que había sucedido
algo grave; tenía la voz de una persona que ha dejado
de vivir hace tiempo. Sin tener un lugar mío a
donde volver, me sentí de veras perdida. Durante
dos o tres días vagué por la casa como en trance.
No había nada que pudiera sacudirme y hacerme
salir de ese estado de entumecimiento; en una
única secuencia monótona y monocroma, veía pasar
mis años uno después del otro, hasta la muerte.

¿Sabes cuál es el error que se comete siempre?
El de creer que la vida es inmutable, que una vez
tomada una vía se la debe recorrer hasta el final.
Por el contrario, el destino tiene mucha más imaginación que nosotros. Justo cuando crees encontrarte
en una situación sin salida, cuando alcanzas el pico
de máxima desesperación, todo cambia con la velo-
cidad de una ráfaga de viento, se desordena y, de
un momento al otro, te encuentras viviendo una
vida nueva.

Dos meses al cabo del bombardeo de la casa, la
guerra terminó. Yo fui enseguida a Trieste; mi
padre y mi madre ya se habían mudado con otras
personas a un departamento provisorio. Había tantas
cosas prácticas de las cuales ocuparse, que al cabo
de una sola semana casi me olvidé de los años pasados en L'Aquila. Un mes más tarde llegó también
Augusto. Debía ponerse al frente de la empresa que
le había comprado a papá, durante todos esos años
de guerra había dejado que la administraran otros y
casi no había tenido actividad. Además estaban mis
padres, sin techo y ya viejos de verdad. Con una

rapidez que me sorprendió, Augusto decidió dejar su ciudad para mudarse a Trieste, compró esta casa en las alturas y, antes del otoño, vinimos a vivir aquí todos juntos.

Contrariamente a todas las previsiones, mi madre fue la primera en irse, murió poco después de comenzado el verano. Su temple obstinado había quedado minado por aquel período de soledad y miedo. Con su desaparición, volvió a surgir en mí, vivo y fuerte, el deseo de un hijo. Yo había vuelto a dormir con Augusto, pero, no obstante eso, por la noche entre nosotros ocurría poco o nada. Pasaba mucho tiempo sentada en el jardín en compañía de mi padre. Fue él quien, en una tarde soleada, me dijo: "Las aguas pueden hacer milagros con el hígado y con las mujeres".

Dos semanas más tarde, Augusto me acompañó al tren cuyo destino era Venecia. Allí, en las últimas horas de la mañana, tomaría otro tren para Bolonia y, luego de cambiar una vez más, a la noche llegaría a las termas de Porretta. Para decir la verdad, creía poco en los efectos de las termas, si había decidido partir era sobre todo por un gran deseo de soledad, sentía la necesidad de estar en mi propia compañía de manera distinta a como lo había estado en años pasados. Había sufrido. Dentro de mí, casi todas las partes estaban rotas; era como un prado después de un incendio, todo era negro y estaba carbonizado. Sólo con la lluvia, el sol, el aire, lo poco que había quedado abajo encontraría lentamente la energía para volver a crecer.

10 DE DICIEMBRE

Desde que te fuiste no leo más el diario; no estás tú para comprarlo y nadie me lo trae. Al principio me sentía algo mal debido a esa carencia, pero luego, poco a poco, el malestar se convirtió en alivio. Entonces me acordé del padre de Isaac Singer. Entre todos los hábitos del hombre moderno, decía, la lectura de los diarios es una de las peores. A la mañana, en el instante en que el alma está más abierta, echa sobre la persona todo el mal que el mundo produjo el día anterior. En sus tiempos, no leer los diarios bastaba para salvarse, hoy ya no es posible; existen la radio, la televisión, basta encenderlas un segundo para que el mal nos alcance, para que entre en nosotros.

Es lo que pasó esta mañana. Mientras me vestía, escuché en el noticiario regional que a los trenes de refugiados les dieron permiso para cruzar la frontera. Estaban detenidos allí desde hace cuatro días, no los hacían avanzar y ya no podían retroceder. A bordo había viejos, enfermos, mujeres solas con sus niños. El primer contingente, dijo el locutor, ya llegó al campo de la Cruz Roja y recibió la primera ayuda. La presencia de una guerra tan próxima y primordial me provoca una gran turbación. Desde que empezó, vivo con una espina clavada en el corazón. Es una imagen banal, pero dentro de su banalidad transmite bien la sensación. Después de un año, al dolor se unió la indignación; me parecía imposible que nadie interviniera para poner fin a esta hecatombe. Luego debí resignarme: allí no hay pozos de petróleo, sino sólo montañas pedregosas. Con el tiempo, la indignación se convirtió en rabia, y esa rabia sigue latiendo dentro de mí como una polilla testaruda.

Es ridículo que a mi edad siga impresionándome una guerra. En el fondo, sobre la tierra se libran decenas y decenas en el mismo día; después de ochenta años debería habérseme formado algo así como un callo, un hábito. Desde que nací, la hierba alta y amarilla del Carso fue atravesada por prófugos y por ejércitos victoriosos o a la desbandada. Primero los trenes de los infantes de la gran guerra con el estallido de las bombas en las alturas; después el desfile de los veteranos de la campaña de Rusia y de Grecia, las matanzas fascistas y nazis, los estragos de los precipicios naturales del Carso; y ahora, una vez más, el sonido de los cañones en la frontera, este éxodo de inocentes que huyen de la gran matanza de los Balcanes.

Hace unos años, yendo en tren de Trieste a Venecia, viajé en el mismo compartimiento que una médium. Era una señora algo más joven que yo, con un sombrerito parecido a una torta. Por supuesto, yo no sabía que era médium, pero lo reveló ella al hablar con su vecina de asiento.

"Sabe —le decía mientras atravesábamos las alturas del Carso—, si yo camino por aquí arriba, oigo todas las voces de los muertos, no puedo dar un paso sin quedar ensordecida. Todos gritan de una manera terrible; cuanto más jóvenes mueren, más fuerte gritan." Luego le explicó que, donde había habido un acto de violencia, algo en la atmósfera quedaba alterado para siempre: el aire se vuelve corrosivo, ya no es compacto, y esa corrosión, en lugar de provocar sentimientos suaves como contrapartida, favorece la realización de otros excesos. En fin, donde se ha derramado sangre, más se derramará y, sobre ella, otra. "La tierra —había dicho la médium al terminar su explicación— es como un vampiro, apenas prueba sangre, quiere otra, una más nueva, siempre más."

Durante muchos años me pregunté si este lugar donde nos ha tocado vivir alberga una maldición, me lo pregunté y me lo sigo preguntando sin conseguir una respuesta. ¿Recuerdas cuántas veces fuimos al peñasco de Monrupino? En los días de tramontana pasábamos horas enteras contemplando el paisaje, era un poco como estar en un avión y mirar hacia abajo. La visión era de trescientos sesenta grados; competíamos para ver quién identificaba una cima de las Dolomitas, quién distinguía a Grado de Venecia. Ahora que ya no me es posible ir materialmente, para ver el mismo paisaje tengo que cerrar los ojos.

Gracias a la magia de la memoria, todo aparece a mi alrededor como si estuviera en el mirador del peñasco. No falta nada, ni siquiera el rumor del viento, los olores de la estación que elegí. Estoy allí, miro las columnas calcáreas erosionadas por el tiempo, el gran espacio desnudo en el cual se ejercitan los vehículos de guerra, el peñasco oscuro de Istria inmerso en el azul del mar. Miro todo lo que me rodea y me pregunto por enésima vez dónde está la nota estridente, si es que la hay.

Amo este paisaje, y este amor quizás no me permita resolver la cuestión; sólo estoy segura de la influencia del aspecto externo sobre el carácter de quienes viven en estos lugares. Si a menudo me muestro áspera y brusca, si tú también lo eres, se lo debemos al Carso, a su erosión, a sus colores, al viento que lo azota. Si hubiéramos nacido, qué sé yo, entre las colinas de Umbria, quizás habríamos sido más sumisas, la exasperación no habría formado parte de nuestro temperamento. ¿Habría sido mejor? No lo sé, no se puede imaginar una situación que no se ha vivido.

De todos modos, hoy sí hubo una pequeña maldición. Cuando vine a la cocina, encontré a la mirla exánime entre sus trapos. Ya en los últimos días había dado señales de malestar, comía menos y, entre un bocado y otro, a menudo se quedaba dormida.

La muerte debe haberse producido poco antes del amanecer porque, cuando la levanté, la cabeza le colgaba como si algo se le hubiera roto adentro. Se la veía liviana, frágil, fría. La acaricié un poco antes de envolverla en un trapo, quería darle un poco de calor. Afuera caía una fuerte nevada; encerré a Buck en un cuarto y salí. Ya no tengo fuerzas para usar la pala, de modo que elegí el cantero con la tierra más blanda, hice una pequeña fosa con el pie, puse allí a la mirla, la cubrí y, antes de volver a entrar en la casa, dije la oración que siempre repetíamos cuando sepultábamos a nuestros pajaritos: "Señor, acoge a esta pequeñísima vida como acogiste a todas las otras".

¿Te acuerdas de cuántos socorrimos, a cuántos intentamos salvar cuando eras pequeña? Después de cada día de viento, encontrábamos alguno lastimado; eran pinzones, herrerillos, gorriones, mirlos, cierta vez incluso un piquituerto. Hacíamos de todo para curarlos, pero nuestros cuidados casi nunca tenían éxito; de un día para el otro, sin ningún aviso previo, los encontrábamos muertos. Ese día era una tragedia; a pesar de que ya había ocurrido muchas veces, de todos modos quedabas intranquila. Terminada la sepultura, te secabas la nariz y los ojos con la palma de la mano abierta, luego te encerrabas en tu cuarto para "hacer lugar".

Un día me preguntaste cómo haríamos para encontrar a tu mamá, el cielo era tan grande que resultaba muy fácil perderse. Te dije que el cielo era una especie de gran hotel, cada uno tenía su habitación y allí, después de la muerte, las personas que se habían querido se encontraban de nuevo y estaban juntas para siempre. Durante un tiempo, esta explicación te tranquilizó. Sólo después de la muerte de tu cuarto o quinto pececito rojo, volviste a preocuparte por el tema y me preguntaste:

—¿Y si no hay más lugar?

—Si no hay más lugar —te respondí—, hay que cerrar los ojos y decir durante un minuto "Cuarto, agrándate". Entonces, enseguida el cuarto se hace más grande.

¿Conservas todavía en la memoria esas imágenes infantiles, o tu coraza las ha expulsado? Yo las recordé sólo ayer, mientras enterraba a la mirla. ¡Cuarto agrándate, qué hermosa magia! Por cierto, entre mamá, los hamsters, los gorriones, los pececitos rojos, tu cuarto ya debe estar tan ocupado como las tribunas de un estadio. Pronto iré yo también. ¿Me admitirás en tu cuarto o deberé alquilar uno al lado? ¿Podré invitar a la primera persona que amé, podré por fin hacerte conocer a tu verdadero abuelo?

¿Qué pensé, qué imaginé aquella noche de septiembre al bajar del tren en la estación de Porretta? Nada en absoluto. Se sentía el olor de los castaños en el aire, y mi primera preocupación había sido encontrar la pensión donde había reservado un cuarto. Por entonces era todavía muy ingenua, ignoraba el incesante obrar del destino, mi única convicción era que las cosas sucedían únicamente gracias al buen uso o no de mi voluntad. En el instante en que puse los pies y la valija en el andén, mi voluntad se había reducido a cero. No quería nada o, mejor dicho, quería una sola cosa: estar en paz.

A tu abuelo lo conocí la primera noche, cenaba en el comedor de mi pensión junto con otra persona. Salvo un anciano señor, no había otros huéspedes. Estaba discutiendo sobre política en forma bastante enardecida, el tono de su voz enseguida me molestó. Durante la cena, lo miré un par de veces con expresión fastidiada. ¡Qué sorpresa al día siguiente cuando descubrí que era el médico de las termas! Estuvo unos diez minutos haciéndome preguntas sobre mi estado de salud; en el momento de desvestirme me sucedió algo muy incómodo: comencé a transpirar como si estuviera haciendo un gran esfuerzo. Al auscultarme el corazón, exclamó: "Caramba, qué miedo", y se echó a reír en forma desagradable. Apenas empezó a usar el aparato de la presión, la columna de mercurio subió hasta los valores máximos. "¿Sufre de hipertensión?", me preguntó entonces. Yo estaba furiosa conmigo misma. Trataba de repetirme qué hay para asustarse tanto, es sólo un médico que hace su trabajo, no es normal ni serio que me agite de esta manera. Sin embargo, por más que me lo repetía, no lograba tranquilizarme. En la puerta, al darme la hoja con las prescripciones, me estrechó la mano. "Descanse, recobre el aliento —dijo—, de otro modo, ni siquiera las aguas podrán ayudarla."

Esa misma noche, después de la cena, vino a

sentarse a mi mesa. Al día siguiente ya paseábamos juntos, charlando por las calles del pueblo. Aquella vivacidad impetuosa que al principio me había irritado tanto, ahora comenzaba a despertarme curiosidad. En todo lo que decía había pasión, transporte, era imposible estar a su lado sin sentirse contagiado por el calor que emanaba de cada palabra suya, de la calidez de su cuerpo.

Hace un tiempo leí en un diario que, según las últimas teorías, el amor no nace del corazón sino de la nariz. Cuando dos personas se encuentran y se gustan, comienzan a enviarse pequeñas hormonas cuyo nombre no recuerdo; estas hormonas entran por la nariz, suben hasta el cerebro y allí, en algún meandro secreto, desencadenan la tempestad del amor. En conclusión, los sentimientos, según el artículo, no son más que olores invisibles. ¡Qué tontería! Quien haya sentido el amor verdadero en la vida, el grande y sin palabras, sabe que esas afirmaciones no son más que un golpe bajo para mandar el corazón al exilio. Claro, el olor de la persona amada provoca grandes turbaciones. Pero para provocarlas, antes debe existir algo más, algo que, estoy segura, es muy distinto de un simple olor.

Al estar junto a Ernesto en aquellos días, por primera vez tuve la sensación de que mi cuerpo no tenía límites. A mi alrededor sentía una especie de aureola impalpable, era como si los contornos fueran más amplios y esa amplitud vibrara en el aire con cada movimiento. ¿Sabes cómo se comportan las plantas cuando no las riegas durante unos días?

Las hojas se ablandan, en lugar de erguirse hacia la luz caen como las orejas de un conejo deprimido. Ahí tienes, mi vida en los años precedentes había sido parecida a la de una planta sin agua; el rocío de la noche me había dado el alimento mínimo para sobrevivir, pero salvo eso no recibía nada, tenía fuerzas para mantenerme en pie y se acabó. Es suficiente regar la planta una sola vez para que mejore, para que saque hojas. Eso me ocurrió a mí la primera semana. Seis días después de mi llegada, al mirarme al espejo por la mañana, me di cuenta de que era otra. Tenía la piel más lisa, los ojos más luminosos; mientras me vestía empecé a cantar, no lo había hecho desde que era niña.

Al enterarte de la historia desde afuera, por supuesto pensarás que, debajo de aquella euforia, había preguntas, una inquietud, un tormento. Después de todo, yo era una mujer casada, ¿cómo podía aceptar sin problemas la compañía de otro hombre? Pero al contrario, no había ninguna pregunta, ninguna duda, y no porque yo careciera de prejuicios. Más bien porque lo que vivía se refería al cuerpo, sólo al cuerpo. Yo era como un cachorro que, después de haber vagabundeado largamente por las calles en invierno, encuentra una guarida cálida y no se pregunta nada, se queda allí y goza del calor. Además, la estima en que tenía mi encanto femenino era muy baja, por lo tanto, ni se me ocurría la idea de que un hombre pudiera sentir ese tipo de interés por mí.

El primer domingo, mientras iba a misa a pie,

Ernesto se acercó conduciendo un auto. "¿Adónde va? —me preguntó al asomarse por la ventanilla y, apenas se lo dije, abrió la puerta y exclamó: —Créame, Dios estará mucho más contento si, en lugar de ir a la iglesia, viene a dar un hermoso paseo por el bosque." Al cabo de muchos desvíos y curvas, llegamos al comienzo de un sendero que se metía entre los castaños. Yo no tenía los zapatos adecuados para caminar por ese tipo de camino y no dejaba de tropezar. Cuando Ernesto me tomó de la mano, me pareció lo más natural del mundo. Caminamos largo rato en silencio. En el aire se percibía el olor del otoño, la tierra estaba húmeda, en los árboles había muchas hojas amarillas; la luz, al pasar a través de todo eso, se desvanecía en distintas tonalidades. En cierto momento, en medio de un claro, encontramos un castaño enorme. Recordando a mi encina, le salí al encuentro; primero lo acaricié con una mano, luego apoyé una mejilla sobre él. Enseguida, Ernesto apoyó su cabeza junto a la mía. Desde que nos habíamos conocido, nunca nuestros ojos habían estado tan próximos.

Al día siguiente no lo quise ver. La amistad se estaba transformando en otra cosa y yo necesitaba reflexionar. Ya no era una muchachita sino una mujer casada, con todas sus responsabilidades; él también estaba casado y además tenía un hijo. Desde ese momento hasta la vejez yo ya tenía prevista toda mi vida, el hecho de que irrumpiera en ella algo no calculado me producía una gran inquietud. No sabía cómo comportarme. Lo nuevo, en el primer impacto, da miedo; para poder salir adelante es necesario superar esa sensación de alarma. Así, en un momento pensaba: "Es una gran tontería, la más grande de mi vida, debo olvidar todo, borrar lo poco que hubo". Al momento siguiente me decía que la tontería más grande habría sido dejarlo de lado, porque por primera vez desde que era niña me sentía viva de nuevo, todo vibraba a mi alrededor, dentro de mí, me parecía imposible renunciar a ese nuevo estado. Además de eso, por supuesto, tenía una sospecha, esa sospecha que tienen, o por lo menos tenían, todas las mujeres: que él se burlara de mí, que quisiera divertirse y nada más. Todos esos pensamientos se agitaban en mi cabeza mientras me encontraba sola en aquel triste cuarto de pensión.

Esa noche no pude dormir hasta las cuatro, estaba demasiado excitada. Sin embargo, a la mañana siguiente no me sentí para nada cansada y mientras me vestía me puse a cantar; en aquellas pocas horas había nacido en mí un gran deseo de vivir. Al décimo día de estadía, mandé una postal a Augusto: *Aire óptimo, comida mediocre. Tengamos esperanzas*, había escrito, y lo saludé con un abrazo afectuoso. La noche anterior la había pasado con Ernesto.

En esa noche, me había dado cuenta en forma repentina de que entre nuestra alma y nuestro cuerpo hay un montón de ventanitas; por ellas, si están abiertas, pasan las emociones, si están cerradas apenas se filtran. Sólo el amor puede abrirlas a todas juntas de golpe, como una ráfaga de viento.

En la última semana de mi estadía en Porretta,

estuvimos siempre juntos, dando largos paseos, hablando hasta quedar con la garganta seca. ¡Qué distintas a las de Augusto eran las charlas de Ernesto! Todo en él era pasión, entusiasmo, sabía entrar en los temas más difíciles con una simplicidad absoluta. A menudo hablábamos de Dios, de la posibilidad de que, además de la realidad tangible, existiera otra cosa. Él había estado en la Resistencia, más de una vez había visto la cara de la muerte. En esos instantes le había surgido el pensamiento de algo superior, no por miedo sino por el dilatarse de la conciencia en un espacio más amplio. "No puedo seguir los ritos —me decía—, nunca iré a un lugar de culto, nunca podré creer en los dogmas, en las historias inventadas por otros hombres como yo." Nos sacábamos las palabras de la boca, pensábamos las mismas cosas, las decíamos de la misma manera, parecía como si nos hubiéramos conocido de años en lugar de dos semanas.

Nos quedaba poco tiempo, las últimas noches no descansamos más de una hora, dormitando el tiempo mínimo para retomar fuerzas. A Ernesto lo apasionaba el tema de la predestinación. "En la vida de cada hombre —decía— existe sólo una mujer junto a la cual llega a la unión perfecta y, en la vida de cada mujer, existe un solo hombre junto al cual se completa." Sin embargo, encontrarse era destino de pocos, de poquísimos. El resto estaba obligado a vivir en un estado de insatisfacción, de nostalgia perpetua. "¿Cuántos encuentros habrá como éste? —decía en la oscuridad del cuarto—.

¿Uno en diez mil, uno en un millón, en diez millones?" Uno en diez millones, sí. Los demás son ajustes, simpatías epidérmicas, transitorias, afinidades físicas o de carácter, convenciones sociales. Después de estas consideraciones, no hacía más que repetir: "Qué suerte hemos tenido, ¿eh? Quién sabe qué habrá detrás de esto".

El día de la partida, mientras esperaba el tren en la minúscula estación, me abrazó y me susurró al oído:

—¿En qué vida nos hemos conocido?

—En muchas —le contesté yo, y empecé a llorar.

Escondida en el bolsillo tenía su dirección de Ferrara.

Es inútil que te describa mis sentimientos en aquellas largas horas de viaje, eran muy desordenados, demasiado "el uno contra el otro armados". Sabía, en esas horas, que debía efectuar una metamorfosis, iba y volvía del baño para controlar la expresión de mi cara. La luz en los ojos, la sonrisa, debían irse, apagarse. Para confirmar la bondad del aire sólo debía quedar el color de las mejillas. Tanto mi padre como Augusto me encontraron notablemente mejorada. "Sabía que las aguas hacen milagros", no dejaba de repetir mi padre, mientras Augusto, cosa en él casi increíble, me rodeaba de pequeñas galanterías.

Cuando tú también sientas amor por primera vez, entenderás qué variados y extraños pueden ser sus efectos. Hasta que no te enamoras, mientras tu corazón está libre y tu mirada no pertenece a nadie, de todos los hombres que podrían interesarte ni uno solo te presta atención; luego, en el momento en que te atrae una sola persona y no te importan absolutamente nada los otros, todos te siguen, te dicen palabras dulces, te hacen la corte. Es el efecto de las ventanas de que hablaba antes; cuando están abiertas, el cuerpo da una gran luz al alma y lo mismo hace el alma con el cuerpo, con un sistema de espejos se iluminan uno a otro. En poco tiempo se forma a tu alrededor una especie de halo dorado y cálido, y ese halo atrae a los hombres como la miel atrae a los osos. Augusto no escapaba a ese efecto y tampoco yo, aunque te parezca extraño, encontré dificultad alguna en ser gentil con él. Claro, si Augusto hubiera estado un poco más en las cosas del mundo, no habría tardado demasiado en entender lo sucedido. Por primera vez desde que estábamos juntos, agradecí lo de sus horribles insectos.

¿Pensaba en Ernesto? Claro, prácticamente no hacía otra cosa. Sin embargo, pensar no es el término exacto. Más que pensar, existía para él, él existía en mí, en cada gesto, en cada pensamiento, éramos una sola persona. Al despedirnos, habíamos quedado en que la primera en escribir sería yo; para que él pudiera hacerlo, antes yo debía encontrar la dirección de una amiga confiable a quien hacerme mandar las cartas. La primera se la envié en vísperas del día de los muertos. La época que siguió fue la más terrible de toda nuestra relación. Ni siquiera los amores más grandes, los más absolutos, quedan exentos de dudas en la lejanía. Por la mañana abría los ojos de golpe, cuando afuera todavía estaba oscuro, y permanecía inmóvil y en silencio al lado de Augusto. Eran los únicos momentos en los cuales no debía esconder mis sentimientos. Volvía a pensar en aquellas tres semanas. Me preguntaba si Ernesto no habría sido sólo un seductor, alguien que por estar aburrido en las termas se divertía con las señoras solas. Más pasaban los días sin que llegara la carta, más esa sospecha se transformaba en certeza. Está bien, me decía entonces, aunque haya sido así, aunque me haya conducido como la más ingenua de las mujeres, no fue una experiencia negativa ni inútil. Si no me hubiera dejado ir, habría envejecido y muerto sin saber jamás lo que puede provocar una mujer. De alguna manera, entiendes, trataba de defenderme, de atenuar el golpe.

Tanto mi padre como Augusto notaron mi empeoramiento de humor: explotaba por nada, apenas uno de ellos entraba en un cuarto, yo salía para ir a otro, tenía necesidad de estar sola. No dejaba de recordar las semanas que habíamos pasado juntos, las examinaba con frecuencia minuto por minuto para encontrar un indicio, una prueba que me empujara definitivamente en un sentido o en otro. ¿Cuánto duró ese suplicio? Un mes y medio, casi dos. La semana anterior a Navidad, a casa de la amiga que hacía de puente llegó por fin la carta, cinco páginas escritas con letra grande y abierta.

De improviso me volvió el buen humor. Entre escribir y esperar las respuestas, el invierno se fue volando y también la primavera. La idea fija de

Ernesto alteraba mi percepción del tiempo, todas mis energías estaban concentradas en un futuro impreciso, en el momento en que podría volver a verlo.

La profundidad de su carta me había dado la seguridad del sentimiento que nos unía. El nuestro era un amor grande, grandísimo y, como todos los amores de veras grandes, en buena medida también estaba lejos del acaecer de los hechos estrictamente humanos. Quizás te parezca extraño que el prolongado alejamiento no provocara en nosotros un gran dolor, y decir que no sufríamos es tal vez inexacto. Tanto Ernesto como yo sufríamos por la distancia forzosa, pero el dolor estaba mezclado con otros sentimientos, pasaba a segundo plano detrás de la emoción de la espera. Éramos dos personas adultas y casadas, sabíamos que las cosas no podían ser de otra manera. Probablemente, si todo eso hubiera ocurrido en nuestra época, después de menos de un mes yo le habría pedido la separación a Augusto y él se la habría pedido a su esposa, y ya antes de Navidad viviríamos en la misma casa. ¿Habría sido mejor? No lo sé. En el fondo, no puedo sacarme de la cabeza la idea de que la facilidad de las relaciones vulgariza el amor, transforma la intensidad del transporte en un capricho pasajero. Sabes, como sucede cuando, en las tortas, mezclas mal la levadura con la harina. La masa, en lugar elevarse de manera uniforme, se levanta sólo en una parte, más que levantarse, explota, la pasta se rompe y cuela del molde como si fuera lava. Así es la unicidad de la pasión. Desborda.

Tener un amante en aquellos tiempos, y poder verlo, no era una cosa muy simple. A Ernesto, claro, le resultaba más fácil; por ser médico, siempre podía inventar una convención, un concurso, algún caso urgente, pero para mí, que además de las tareas de la casa no tenía otra actividad, me era casi imposible. Por eso, antes de Pascua me inscribí en una sociedad de latinistas aficionados. Se reunían una vez por semana y hacían frecuentes giras culturales. Conociendo mi pasión por las lenguas antiguas, Augusto no sospechó nada ni encontró objeciones, es más, lo satisfacía que retomara los intereses de otra época.

Ese año, el verano llegó como un rayo. A fines de junio, como siempre, Ernesto partió para la estación de las termas y yo para el mar junto con mi padre y mi marido. En aquel mes logré convencer a Augusto de que yo no había dejado de desear un hijo. El treinta y uno de agosto, temprano, con la misma valija y el mismo traje del año anterior, me acompañó a tomar el tren a Porretta. Durante el viaje, debido a la excitación, no pude estar quieta ni un instante, desde la ventanilla veía el mismo paisaje que había visto el otro año y sin embargo todo me parecía distinto.

Me quedé tres semanas en las termas, y en esas tres semanas viví más y con mayor profundidad que en el resto de mi vida. Un día, mientras Ernesto estaba trabajando, al pasear por el parque pensé que en ese instante lo más hermoso sería morir. Parece extraño, pero la felicidad máxima, como la máxima

infelicidad, siempre lleva consigo este deseo con-
tradictorio. Tenía la sensación de estar en camino
desde hacía mucho tiempo, de haber marchado
durante años y años por rutas apisonadas, por la
espesura; para adelantar me había abierto una gale-
ría con el hacha, avanzaba y, de aquello que me
rodeaba —además de lo que estaba adelante, a mis
pies—, no había visto nada; no sabía adónde iba,
podía haber un abismo frente a mí, un barranco,
una gran ciudad o un desierto; luego, la espesura
se había abierto de golpe, sin darme cuenta había
ido hacia arriba. De improviso me encontraba en la
cima de un monte, hacía poco había salido el sol
y ante mí, con distintos matices, otros montes
bajaban hacia el horizonte; todo era azulado, una
brisa leve rozaba la cima, la cima y mi cabeza, mi
cabeza y los pensamientos de su interior. Cada
tanto, de abajo subía un sonido, el ladrido de un
perro, las campanas de una iglesia. Todas las cosas
eran extrañamente ligeras e intensas al mismo
tiempo. Dentro y fuera de mí todo se había aclarado,
nada se mezclaba más, nada se hacía sombra, ya no
tenía ganas de bajar, de ir hacia la espesura; quería
zambullirme en ese color azulino y quedarme allí
para siempre, abandonar la vida en el momento más
alto. Conservé esa idea hasta la noche, hasta el
momento de volver a ver a Ernesto. Sin embargo,
durante la cena no tuve el coraje de decírselo,
tenía miedo de que se echara a reír. Sólo más tarde,
cuando vino a mi cuarto, cuando llegó y me abrazó,
acerqué la boca a su oído para hablarle. Quería

decirle: "Quiero morir". En lugar de eso, ¿sabes qué dije? "Quiero un hijo."

Cuando me fui de Porretta sabía que estaba embarazada. Creo que también Ernesto lo sabía, en los últimos días estaba muy turbado, confuso, a menudo se quedaba callado. Nada que ver conmigo. Mi cuerpo había comenzado a modificarse desde la mañana posterior a la concepción; los senos estaban de golpe más hinchados, más firmes, la piel de la cara se veía más luminosa. Es increíble el poco tiempo que emplea el cuerpo para adecuarse al nuevo estado. Por eso puedo decirte que, aun sin haber hecho los análisis, aun cuando el vientre todavía estaba plano, yo sabía muy bien lo que había sucedido. De repente me sentía invadida por una gran luz solar, mi cuerpo se modificaba, comenzaba a expanderse, a volverse poderoso. Nunca había experimentado algo similar.

Los pensamientos graves me asaltaron sólo cuando me quedé sola en el vagón. Mientras estuve cerca de Ernesto, no había tenido dudas acerca del hecho de que iba a tener a mi hijo. Augusto, mi vida en Trieste, los chismes de la gente, todo estaba muy lejos. Sin embargo, en ese momento ese mundo se estaba acercando, la rapidez con que se desarrollaría el embarazo me obligaba a tomar decisiones lo más pronto posible y —una vez tomadas— a mantenerlas para siempre. Comprendí enseguida, paradojalmente, que abortar habría sido mucho más difícil que tener al hijo. A Augusto no le habría resultado inadvertido un aborto. ¿Cómo podía justificarlo ante sus ojos después de haber insistido tantos años en mi deseo de tener un niño? Además, yo no quería abortar, esa criatura que me crecía adentro no había sido una equivocación, algo susceptible de ser eliminado lo más pronto posible. Era el cumplimiento de un deseo, tal vez el deseo más grande y más intenso de toda mi vida.

Cuando se ama a un hombre —cuando se lo ama con la totalidad del cuerpo y del alma— lo más natural es desear un hijo. No se trata de un deseo intelectual, de una elección basada en criterios de racionalidad. Antes de conocer a Ernesto, imaginaba que quería un hijo y sabía con exactitud por qué lo quería y cuáles serían los pro y los contra de tenerlo. En síntesis, era una elección racional, quería un hijo porque tenía cierta edad y estaba muy sola, porque era mujer y, si las mujeres no hacen nada, al menos pueden hacer hijos. ¿Entiendes? Para comprar un auto habría adoptado el mismo criterio.

Pero cuando aquella noche le dije a Ernesto: "Quiero un hijo", fue algo absolutamente distinto, todo el sentido común iba en contra de esa decisión y, sin embargo, esa decisión era más fuerte que todo el sentido común. Además, en el fondo, ni siquiera representaba una decisión, era un frenesí, una avidez de posesión perpetua. Quería a Ernesto dentro de mí, conmigo, junto a mí para siempre. Ahora, mientras lees cómo actué, con toda probabilidad te estremecerás de horror, te preguntarás cómo no te diste cuenta antes de que yo escondía aspectos tan bajos, tan despreciables. Cuando llegué a la estación de Trieste, hice lo único que podía hacer: bajé del tren como una esposa tierna y enamoradísima. Augusto enseguida se conmocionó ante mi cambio y, en lugar de hacer preguntas, se dejó llevar.

Al cabo de un mes, era muy plausible que aquel hijo fuera suyo. El día que le anuncié el resultado de los análisis, se fue de la oficina a mitad de la mañana y pasó todo el día conmigo para proyectar cambios en la casa debido a la llegada del niño. Al acercar mi cabeza a la suya para gritarle la noticia, mi padre tomó mis manos entre las suyas marchitas y así permaneció, quieto por un instante, mientras los ojos se le ponían húmedos y rojos. Ya hacía tiempo que la sordera lo había excluido de gran parte de la vida, y sus razonamientos avanzaban a empujones; entre una y otra frase había vacíos imprevistos, desviaciones bruscas o relámpagos de recuerdos que no tenían nada que ver con lo que decía. No sé por qué, pero ante sus lágrimas, en lugar de emoción sentí una sutil sensación de fastidio. En ellas yo leía retórica y nada más. No alcanzó, sin embargo, a ver a su nietecita. Murió mientras dormía, sin sufrir, en el sexto mes de mi embarazo. Al verlo compuesto en el ataúd, me llamó la atención lo arrugado y decrépito que estaba. En la cara tenía la misma expresión de siempre, distante y neutra.

Por supuesto, después de recibir el resultado de los análisis, le escribí a Ernesto; su respuesta llegó en menos de diez días. Esperé algunas horas antes de abrir la carta, estaba muy agitada, temía que adentro hubiera algo desagradable. Me decidí a leer el contenido sólo al finalizar la tarde; para poder hacerlo con libertad, me encerré en el baño de un café. Sus palabras eran tranquilas y razonables. "No sé si esto es lo mejor —decía—, pero si lo decidiste así, respeto tu decisión."

Desde aquel día, sorteados ya todos los obstáculos, comenzó mi tranquila espera de madre. ¿Me sentía un monstruo? ¿Lo era? No lo sé. Durante el embarazo y por muchos años de los que siguieron, jamás tuve una duda o un remordimiento. ¿Cómo hacía para fingir que amaba a un hombre mientras llevaba en el vientre al hijo de otro a quien amaba de verdad? Mira, en realidad las cosas nunca son tan simples, nunca son negras o blancas, cada color lleva en sí mismo muchos matices. No me costaba ningún esfuerzo ser gentil y afectuosa con Augusto porque de veras lo quería. Lo quería de una manera muy distinta a la manera en que quería a Ernesto, lo amaba no como una mujer ama a un hombre, sino como una hermana ama a un hermano mayor un poco aburrido. Si él hubiera sido malo, todo habría sido distinto, nunca habría pensado en tener un hijo y vivir a su lado, pero él se limitaba a ser metódico y previsible; salvo eso, en el fondo era gentil y bueno. Él se sentía feliz de tener aquel hijo y yo me sentía feliz de dárselo. ¿Por qué motivo tenía que revelarle el secreto? Al hacerlo, habría arrojado tres vidas a la desdicha permanente. Así al menos pensaba entonces. Ahora que hay libertad de movimiento, de elección, puede parecer de veras horrible lo que hice, pero en ese momento —cuando me encontré viviendo la situación— era un caso muy común, no digo que hubiera uno en cada pareja, pero por cierto era más bien frecuente que una mujer concibiera un hijo con otro hombre en el ámbito de un matrimonio. ¿Y qué sucedía? Lo que me sucedió a mí: absolutamente nada. El niño nacía y crecía igual que sus otros hermanos, se hacía grande sin que nunca lo rozara una sospecha. En aquellos tiempos, la familia tenía bases muy fuertes, para destruirla se necesitaba mucho más que un hijo distinto. Así ocurrió con tu madre. Nació y enseguida fue hija mía y de Augusto. Lo más importante para mí era que Ilaria fuese hija del amor y no del azar, de las convenciones o del tedio; pensaba que eso habría eliminado cualquier otro problema. ¡Cómo me equivocaba!

De todos modos, durante los primeros años todo anduvo bien con naturalidad, sin contratiempos. Yo vivía para ella, era —o creía ser— una madre muy afectuosa y atenta. Ya desde el primer verano había adoptado la costumbre de pasar los meses más cálidos en el litoral adriático con Ilaria. Habíamos alquilado una casa y, cada dos o tres semanas, Augusto venía a pasar el fin de semana con nosotras.

En aquellas playas, Ernesto vio a su hija por primera vez. Por supuesto, fingía ser un perfecto extraño, durante los paseos caminaba "por casualidad" cerca de nosotras, alquilaba una sombrilla a poca distancia y desde allí —cuando no estaba Augusto— disimulaba su atención detrás de un libro o de un diario y nos observaba durante horas. Luego, a la noche, me escribía largas cartas donde registraba todo lo que le había pasado por la cabeza, sus sentimientos hacia nosotras, lo que había visto. En el interín, su mujer también había tenido otro hijo, él había dejado el empleo temporario de las termas y había instalado un consultorio privado en Ferrara, su ciudad. Durante los primeros tres años de Ilaria, dejando de lado esos encuentros aparentemente casuales, nunca nos vimos. Yo estaba muy absorbida por la niña, todas las mañanas me despertaba feliz con la alegría de saber que existía; aunque hubiera querido, no podría haberme dedicado a otra cosa.

Poco antes de separarnos, en nuestra última estadía en las termas, Ernesto y yo hicimos un pacto. "Todas las noches —había dicho él— a las once en punto, en cualquier lugar donde me encuentre y en cualquier situación, saldré al aire libre y buscaré a Sirio en el cielo. Tú harás lo mismo y de esa manera nuestros pensamientos, aunque estemos lejos, aunque no nos hayamos visto en mucho tiempo e ignoremos todo el uno del otro, se volverán a encontrar allá arriba y estarán próximos." Luego salimos al balcón de la pensión y desde allí, subiendo con el dedo hasta las estrellas, entre Orión y Betelgeuse, me mostró a Sirio.

12 DE DICIEMBRE

Anoche, un ruido me despertó de golpe, tardé un poco en comprender que era el teléfono. Cuando me levanté, ya había sonado varias veces, pero dejó de hacerlo apenas llegué a él. Igual levanté el tubo, con la voz incierta del sueño dije dos o tres veces "hola". En lugar de volver a la cama, me senté en el sofá de al lado. ¿Eras tú? ¿Quién otro podía ser? Aquel sonido en el silencio nocturno de la casa me había alterado. Me vino a la mente la historia que me había contado una amiga algunos años antes. Tenía al marido en el hospital desde hacía tiempo. A causa de la rigidez de los horarios, el día en que murió ella no pudo estar a su lado. Abatida por el dolor de haberlo perdido de esa manera, la primera noche no había podido dormir, estaba allí en la oscuridad, cuando de repente sonó el teléfono. Se sorprendió; ¿era posible que alguien la llamara para darle el pésame a esa hora? Mientras acercaba la mano al tubo, la había impresionado un hecho extraño: del aparato se elevaba un halo de luz trémula. No bien respondió, la sorpresa se convirtió en terror. En el otro extremo de la línea había una voz muy lejana que hablaba con esfuerzo: "Marta —decía entre silbidos y ruidos de fondo— quería saludarte antes de irme...". Era la voz de su marido. Terminada la frase, por un instante se oyó un fuerte viento, poco después la línea se cortó de golpe, y se hizo silencio.

En aquel momento compadecí a mi amiga por el estado de fuerte turbación en que se encontraba: la idea de que los muertos eligieran los medios más modernos para comunicarse me parecía por lo menos extraña. Sin embargo, esa historia igual debe haber dejado una huella en mi emotividad. En el fondo, muy en el fondo, en mi parte más ingenua y mágica, puede que yo también espere que, antes o después, en el corazón de la noche alguien me llame por teléfono para saludarme desde el más allá. Enterré a mi hija, a mi marido y al hombre que más amaba en el mundo. Están muertos, ya no existen; sin embargo, sigo actuando como si hubiera sobrevivido a un naufragio. La corriente me ha dejado a salvo en una isla, ya no sé nada de mis compañeros, los perdí de vista en el mismo momento en que la barca se dio vuelta; podrían haberse ahogado —lo sé casi con seguridad— pero también podrían no haberlo hecho. A pesar de que han transcurrido meses y años, sigo escudriñando las islas vecinas a la espera de una ráfaga, de una señal de humo, algo que confirme mi sospecha de que todos viven todavía conmigo bajo el mismo cielo.

La noche en que murió Ernesto, un fuerte ruido me despertó de repente. Augusto encendió la luz y exclamó: "¿Quién está ahí?". En el cuarto no había nadie, no había nada fuera de su lugar. Sólo a la mañana siguiente, al abrir la puerta del ropero me di cuenta de que en su interior se habían caído todos los estantes: medias, bufandas y ropa interior, todo apareció mezclado.

Ahora puedo decir "la noche en que murió Ernesto". Sin embargo, aquella vez no lo sabía, acababa de recibir una carta suya, no podía ni siquiera imaginar lo sucedido. Me limité a pensar que la humedad había carcomido las ménsulas y habrían cedido bajo el peso excesivo. Ilaria tenía casi cuatro años, hacía poco que había empezado a ir al jardín de infantes; mi vida con ella y con Augusto ya se había acomodado en medio de una tranquilidad cotidiana. Esa tarde, después de la reunión de los latinistas, fui a un café para escribirle a Ernesto. A los dos meses habría una reunión en Mantua, y eso representaba la ocasión que esperábamos desde hacía tiempo para vernos. Antes de volver a casa, eché la carta en el buzón y, a partir de la semana siguiente, comencé a esperar la respuesta. No recibí su carta a la semana siguiente y tampoco en las semanas sucesivas. Nunca había tenido que esperar tanto. Al principio pensé en algún problema del correo, luego en alguna posible enfermedad que no le había permitido ir al consultorio a retirar la correspondencia. Un mes después le escribí una breve nota, y también ella quedó sin respuesta. Con el paso de los días comencé a sentirme como una casa en cuyos cimientos se ha filtrado el agua. Al principio era un hilo sutil, discreto, apenas rozaba las estructuras de cemento, pero luego, con el pasar del tiempo, se había hecho más grande, más impetuoso, bajo su fuerza el cemento se había convertido en arena. Aun cuando la casa todavía estaba en pie, aun cuando en apariencia todo era normal, yo sabía que no era verdad, habría bastado un golpe incluso mínimo para que la fachada y todo el resto se viniera abajo, para que se derrumbara como un castillo de naipes.

Cuando salí para la reunión, era la sombra de mí misma. Después de hacer acto de presencia en Mantua, me fui derecho a Ferrara y allí traté de entender qué había sucedido. En el consultorio no contestaba nadie, al mirar desde la calle se veían las persianas siempre cerradas. Al segundo día fui a una biblioteca y pedí consultar los diarios del mes anterior. Allí, en un suelto, encontré todo. Al volver una noche de visitar a un enfermo, había perdido el control del auto y chocado contra un gran plátano. La muerte se había producido en forma casi instantánea. El día y la hora correspondían con exactitud a las del derrumbe de mi ropero.

Cierta vez, en una de esas revistas de poca monta que me trae la señora Razman, leí en la columna astrológica que a las muertes violentas las preside Marte en la octava casa. Según lo que decía el artículo, el que nace con esa configuración estelar, está destinado a no morir serenamente en su propio lecho. Vaya uno a saber si en el cielo de Ernesto y en el de Ilaria no brillaba esa siniestra conexión. A más de veinte años de distancia, padre e hija se fueron de la misma manera, chocando con el auto contra un árbol.

Después de la muerte de Ernesto, caí en un profundo agotamiento. De repente me había dado cuenta de que la luz con que brillaba en los últimos años no provenía de mi interior, sino que era sólo un reflejo. La felicidad, el amor que había sentido por la vida, en realidad no me pertenecían, yo sólo había funcionado como un espejo. Una vez desaparecido él, todo se había vuelto opaco. Ver a Ilaria ya no me provocaba alegría sino irritación, estaba tan conmocionada que hasta llegué a dudar de que fuera de veras la hija de Ernesto. Este cambio no le pasó inadvertido, con sus antenas de niña sensible se dio cuenta de mi rechazo, se volvió caprichosa, prepotente. Ahora era ella la planta joven, vital, y yo el viejo árbol a punto de ser extinguido. Olfateaba mis sensaciones de culpa como un sabueso, las usaba para llegar más arriba. La casa se había vuelto un pequeño infierno de discusiones y gritos.

A fin de aliviarme de ese peso, Augusto tomó a una mujer para que se ocupara de la niña. Durante un tiempo había tratado de que le gustaran los insectos, pero después de tres o cuatro tentativas —dado que ella gritaba "¡qué asco!"— lo dejó de lado. De improviso, aparecieron sus años; más que el padre, parecía el abuelo de su hija, y con ella era gentil pero distante. Al pasar frente al espejo yo también me veía muy envejecida, en mis rasgos se notaba una dureza que nunca había existido. Descuidarme era un modo de manifestar el desprecio que sentía por mí misma. Entre la escuela y la criada, ahora tenía mucho tiempo libre. La inquietud me empujaba a pasarlo en su mayor parte en movimiento: sacaba el auto e iba para adelante y para atrás por el Carso, manejaba en una especie de trance.

Retomé algunas de las lecturas religiosas que había hecho durante mi permanencia en L'Aquila. Entre esas páginas buscaba con furia una respuesta. Mientras caminaba, me repetía la frase de San Agustín en relación con la muerte de su madre: "No nos pongamos tristes por haberla perdido, demos gracias por haberla tenido".

Una amiga me había hecho ver dos o tres veces a su confesor; de esos encuentros salía más desconsolada que antes. Sus palabras eran dulzonas, ensalzaban la fuerza de la fe como si la fe fuese un producto alimenticio en venta en el primer negocio de la esquina. No lograba encontrar una razón para la pérdida de Ernesto, el descubrimiento de no poseer una luz propia hacía todavía más difíciles las tentativas de encontrar una respuesta. Es que, cuando lo conocí, cuando nació nuestro amor, de golpe me había convencido de que toda mi vida estaba resuelta, estaba contenta de existir, contenta de todo lo que existía conmigo, sentía que había llegado al punto más alto de mi camino, al punto más estable, estaba segura de que de allí nada ni nadie podría moverme. En mi interior existía esa seguridad un poco orgullosa de las personas que todo lo han comprendido. Durante muchos años había estado convencida de haber recorrido el camino con mis piernas; por el contrario, ni un solo paso lo había dado sola. Aunque nunca me dí cuenta, debajo de mí había un caballo, había sido él quien avanzó por el camino, no yo. En el momento en que el caballo desapareció me percaté de mis pies, de lo débiles que eran; yo quería caminar, pero los tobillos cedían, mis pasos eran los pasos torpes de un niño muy pequeño o de un viejo. Durante un tiempo pensé en aferrarme a cualquier bastón: la religión podía ser uno, el trabajo otro. Fue una idea que duró muy poco. Casi enseguida comprendí que habría sido el enésimo error. A los cuarenta años ya no hay lugar para los errores. Si en determinado momento nos encontramos desnudos, es necesario tener el coraje de mirarse al espejo y verse tal como se es. Tenía que empezar todo desde el principio. Cierto, ¿pero desde dónde? Desde mí misma. Así como era difícil decirlo, también resultaba difícil hacerlo. ¿Dónde me encontraba? ¿Quién era? ¿Cuándo había sido la última vez en que había sido yo misma?

Como te dije, vagaba tardes enteras por las alturas. A veces, cuando intuía que la soledad habría empeorado mi humor, bajaba a la ciudad y, mezclada entre la multitud, iba y venía por las calles más conocidas en busca de algún tipo de alivio. Ya era como si tuviese un trabajo, salía cuando salía Augusto y volvía cuando él llegaba. El médico que me atendía le había dicho que en ciertos estados de agotamiento era normal querer moverse tanto. Puesto que en mí no había ideas suicidas, no existía ningún riesgo en dejarme ir por ahí; corriendo y corriendo, según él, al final terminaría por calmarme. Augusto había aceptado sus explicaciones; no sé si de veras las creía o si en él había sólo apatía e indolencia; de todos modos le estuve agradecida por dar un paso al costado, por no obstaculizar mi gran inquietud.

En fin, el médico tenía razón en algo: en medio de ese gran agotamiento depresivo, yo no tenía ideas suicidas. Resulta extraño, pero así era, ni por un instante después de la muerte de Ernesto pensé en matarme, aunque no creas que era Ilaria lo que me detenía. Te lo dije, en aquel momento, de ella no me importaba nada en absoluto. Más bien, en alguna parte de mí intuía que aquella pérdida tan imprevista no estaba —no debía, no podía estar— limitada a sí misma. Allí había un sentido, distinguía ese sentido frente a mí como un escalón gigantesco. ¿Estaba allí para que lo superara? Probablemente sí, pero no podía imaginar lo que había detrás, qué vería después de subir.

Un día llegué con el auto a un lugar donde nunca había estado. Había allí una iglesita con un pequeño cementerio a su alrededor, al costado de las colinas cubiertas de bosques; en la cima de una de ellas se vislumbraba el vértice claro de un castillo. Un poco más allá de la iglesia había dos o tres casas de campesinos. Las gallinas hurgaban con toda libertad en la calle, un perro negro ladraba. En el cartel decía Samatorza. Samatorza, el sonido indicaba soledad, el punto justo donde poder reunir mis pensamientos. De allí salía un sendero pedregoso; empecé a caminar sin preguntarme adónde conduciría. El sol ya estaba bajando, pero cuanto más avanzaba, menos ganas de detenerme tenía; cada tanto, uno de esos pájaros llamados arrendajos me hacía sobresaltar. Había algo que me llamaba y me llevaba hacia adelante, lo que era lo comprendí cuando llegué al espacio abierto de un claro, cuando vi allá en el medio, plácida y majestuosa, con las ramas abiertas como brazos dispuestos a recibirme, una encina enorme.

Resulta extraño al decirlo, pero apenas la vi mi corazón comenzó a latir de un modo distinto, más que latir, aleteaba, parecía un animalito contento, de la misma manera en que latía yo cuando veía a Ernesto. Me senté ahí debajo, la acaricié, apoyé la espalda y la nuca en su tronco.

Gnosei seauton, así había escrito cuando era jovencita en la tapa de mi cuaderno de griego. A los pies de la encina, aquella frase sepultada en la memoria me volvió de golpe a la mente. Conócete a ti mismo. Aire, alivio.

16 DE DICIEMBRE

Anoche nevó; apenas me desperté vi el jardín todo blanco. Buck corría por el césped como loco, saltaba, ladraba, levantaba una rama con la boca y la tiraba por el aire. Más tarde vino a verme la señora Razman, tomamos un café, me invitó pasar con ella la noche de Navidad.

—¿Qué hace todo el tiempo? —me preguntó antes de irse.

Me encogí de hombros.

—Nada —le respondí—. Miro un poco de televisión, pienso un poco.

Nunca me pregunta por ti, da vueltas alrededor del tema con discreción, pero por el tono de su voz comprendo que te considera una ingrata. "Los jóvenes —dice a menudo en medio de una charla— no tienen corazón, ya no tienen el respeto de otras épocas." Para que no siga, asiento; sin embargo, dentro de mí estoy convencida de que el corazón es el mismo de siempre; hay menos hipocresía, eso es todo. Los jóvenes no son egoístas por naturaleza, así como los viejos no son sabios por naturaleza. La comprensión y la superficialidad no pertenecen a los años sino al camino que recorre cada uno. En alguna parte que no recuerdo, leí no hace mucho tiempo, un lema de los indios norteamericanos que decía: "Antes de juzgar a una persona, camina durante tres lunas con sus mocasines". Me gustó tanto que, para no olvidarlo, lo copié en el anotador ubicado junto al teléfono. Vistas desde el exterior muchas vidas parecen equivocadas, irracionales, locas. Desde afuera es fácil interpretar mal a las personas, a sus relaciones. Sólo desde adentro, sólo caminando tres lunas con sus mocasines, pueden comprenderse las motivaciones, los sentimientos, lo que hace actuar a una persona de una manera en lugar de otra. La comprensión nace de la humildad, no del orgullo del saber.

Vaya a saber si te pondrás mis pantuflas después de leer esta historia. Espero que sí, espero que chancletees mucho de un cuarto al otro, que recorras muchas veces el jardín, del nogal al cerezo, del cerezo a la rosa, de la rosa a esos antipáticos pinos negros del fondo del prado. Lo espero no como una limosna de tu piedad, ni para tener una absolución póstuma, sino porque es necesario para ti, para tu futuro. Entender de dónde se viene, qué hubo detrás de nosotros, es el primer paso para poder ir hacia adelante sin mentiras.

Esta carta tendría que habérsela escrito a tu

madre, en lugar de eso te la escribí a ti. Si no la hubiera escrito, entonces sí que mi existencia habría sido de veras un fracaso. Cometer errores es natural, irse sin haberlos comprendido empobrece el sentido de una vida. Las cosas que nos suceden no se acaban nunca en sí mismas, no son gratuitas; cada encuentro, cada pequeño acontecimiento, encierra en sí un significado. La comprensión de uno mismo surge de la disponibilidad para recibirlos, de la capacidad de cambiar de dirección en cualquier momento o dejar la piel vieja, como las lagartijas en el cambio de estación.

Si aquel día, a los cuarenta años, no hubiese venido a mi mente la frase de mi cuaderno de griego, si allí no hubiera puesto un punto antes de volver a ir hacia adelante, habría seguido repitiendo las mismas equivocaciones que había cometido hasta ese instante. Para alejar el recuerdo de Ernesto, habría podido encontrar otro amante y luego otro y otro; en la búsqueda de una copia suya, en el intento de repetir lo que ya había vivido, habría probado por docenas. Ninguno habría sido igual al original y habría avanzado cada vez más insatisfecha; tal vez ya vieja y ridícula me habría rodeado de jovencitos. O habría podido odiar a Augusto; en el fondo, fue también a causa de su presencia que me fue imposible tomar decisiones más drásticas. ¿Entiendes? Encontrar escapatorias cuando no se quiere mirar dentro de uno mismo es lo más fácil del mundo. Una culpa externa existe siempre, es necesario tener mucho coraje para aceptar que la culpa —o

mejor dicho, la responsabilidad— pertenece sólo a
nosotros. Y a pesar de todo, te lo he dicho, ésa es
la única forma de avanzar. Si la vida es un recorrido, es un recorrido que se desarrolla siempre en
subida.

A los cuarenta años comprendí que debía irme.
Entender adónde debía llegar ha sido un largo proceso, lleno de obstáculos pero apasionante. Ahora,
gracias a la televisión y los diarios, veo y leo todo
acerca de esta proliferación de santones: el mundo
está lleno de gente que de un día para el otro se
pone a seguir sus dictámenes. A mí me da miedo
la difusión de todos esos maestros, tanto como los
caminos que propugnan para encontrar la paz en sí,
la armonía universal. Son las antenas de una gran
perplejidad generalizada. En el fondo —y no tan en
el fondo— estamos al final de un milenio; aunque
las fechas sean una pura convención, el hecho
asusta lo mismo, todos esperan que suceda algo
tremendo y quieren estar preparados. Entonces van
a lo de los santones, se inscriben en escuelas para
encontrarse a sí mismos y, al cabo de un mes de
asistencia, ya están imbuidos de la arrogancia que
señala a los profetas, a los falsos profetas. ¡Qué
mentira grande, múltiple, aterradora!

El único maestro que existe, el único verdadero
y creíble, es la propia conciencia. Para encontrarla
es necesario permanecer en silencio —a solas y en
silencio— y estar sobre la tierra desnuda, desnudo
y sin nada en derredor, como si uno ya estuviera
muerto. Al principio no sientes nada, lo único que

experimentas es terror, pero luego, allá lejos, muy lejos, comienzas a oír una voz; es una voz tranquila y tal vez al principio te irrita su banalidad. Es raro, cuando esperas oír las cosas más tremendas, frente a ti aparecen sólo las pequeñeces. Son cosas tan pequeñas y tan obvias que te dan ganas de gritar: "Pero cómo, ¿es tan sencillo?". Si la vida tiene un sentido —te dirá la voz— ese sentido es la muerte, todas las otras cosas se limitan a girar a su alrededor. Hermoso descubrimiento, observarás a esta altura, hermoso descubrimiento macabro; que nos vamos a morir lo sabe hasta el último de los hombres. Es verdad, con el pensamiento lo sabemos todos, pero saberlo con el pensamiento es una cosa, saberlo con el corazón es otra, completamente distinta. Cuando tu madre me atacaba con su arrogancia, le decía:

—Me haces doler el corazón.

Ella reía.

—No seas ridícula —me contestaba—. El corazón es un músculo; si no corres, no puede doler.

Muchas veces traté de hablarle cuando ya era bastante grande como para entender, traté de explicarle el recorrido que me había llevado a alejarme de ella.

—Es verdad —le decía—. En cierto momento de tu infancia, te descuidé. Tuve una enfermedad grave. Si seguía ocupándome de ti estando enferma, quizás habría sido peor. Ahora estoy bien. Podemos hablar, discutir, empezar desde el principio.

Ella no quería saber nada.

—Ahora soy yo la que está mal —respondía, y se negaba a hablar.

Odiaba la serenidad que yo estaba alcanzando, hacía todo lo posible por resquebrajarla, por arrastrarme a sus pequeños infiernos cotidianos. Había decidido que su estado era la infelicidad. Se había atrincherado en sí misma a fin de que nada pudiera obnubilar la idea que se había hecho de su vida. Racionalmente, claro, decía que deseaba ser feliz, pero en realidad —en lo profundo—, a los dieciséis, diecisiete años ya había anulado cualquier posibilidad de cambio. Mientras yo, lentamente me abría a una dimensión distinta, ella estaba allí inmóvil, con las manos sobre la cabeza, esperando que las cosas le cayeran encima. Mi nueva tranquilidad la irritaba, al ver los Evangelios sobre mi mesa de luz, decía: "¿De qué te debes consolar?".

Cuando murió Augusto, ni siquiera quiso venir al funeral. En los últimos años lo había atacado una forma no leve de arteriosclerosis, vagaba por la casa hablando como un niño y ella no lo soportaba. "¿Qué quiere este señor?", decía no bien él, chancleteando, aparecía en la puerta de una habitación. Cuando Augusto se fue, ella tenía dieciséis años, desde los catorce ya no lo llamaba papá. Murió en el hospital una tarde de noviembre. Lo habían internado el día anterior a causa de un ataque al corazón. Yo estaba en el cuarto con él, no tenía piyama sino una bata blanca atada con lazos en la espalda. Según los médicos, lo peor ya había pasado.

La enfermera acababa de llevar la cena cuando

él, como si hubiera visto algo, se levantó de golpe y dio tres pasos hacia la ventana. "Las manos de Ilaria —dijo con la mirada opaca— no son como las de ningún otro de la familia." Luego volvió al lecho y murió. Miré por la ventana. Caía una lluvia muy suave. Le acaricié la cabeza.

Durante diecisiete años, sin dejar traslucir nada jamás, había mantenido ese secreto dentro de él.

Es mediodía, hay sol y la nieve se está derritiendo. En el prado de enfrente de casa aparecen manchas de pasto amarillento; de las ramas de los árboles, una después de la otra, caen gotas de agua. Es extraño, pero con la muerte de Augusto me di cuenta de que la muerte en sí, sola, no trae el mismo tipo de dolor. Hay un vacío imprevisto —el vacío es siempre igual— pero es justamente en este vacío donde toma forma la diversidad del dolor. Todo lo que no se ha dicho en este espacio se materializa y se dilata, se dilata y vuelve a dilatarse. Es un vacío sin puertas, sin ventanas, sin vías de salida; lo que queda suspendido allí, queda para siempre, está sobre tu cabeza, contigo, a tu alrededor, te envuelve y te confunde como una niebla espesa. El hecho de que Augusto supiera lo de Ilaria y nunca me lo hubiera dicho, me sumió en un desconsuelo muy grave. En ese momento habría querido hablarle de Ernesto, de lo que había sido para mí, habría querido hablarle de Ilaria, habría querido discutir tantas cosas con él, pero ya no era posible.

Quizás ahora puedas entender lo que te dije al

principio: los muertos pesan no tanto por su ausencia sino por aquello que —entre ellos y nosotros— no fue dicho.

Al igual que tras la desaparición de Ernesto, también después de la desaparición de Augusto busqué ayuda en la religión. Hacía poco había conocido a un jesuita alemán que tenía unos pocos años más que yo. Al percatarse de mi incomodidad respecto de los oficios religiosos, luego de algunos encuentros me propuso vernos en un lugar que no fuera la iglesia.

Como a los dos nos gustaba caminar, decidimos salir a pasear juntos. Venía a buscarme todos los miércoles a la tarde con zapatones y una vieja mochila; su cara me gustaba mucho, tenía el rostro enjuto y serio de un hombre crecido entre los montes. Al principio, su condición de sacerdote me inhibía, cada cosa que le contaba se la contaba a medias, tenía miedo de provocar escándalo, de atraer condenas sobre mí, juicios no piadosos. Después, un día, mientras descansábamos sentados sobre una piedra, me dijo: "Usted se hace mal a sí misma. Sólo a sí misma". Desde ese momento dejé de mentir, le abrí el corazón como no lo había hecho con nadie desde la desaparición de Ernesto. Hablando y hablando, muy pronto me olvidé de que tenía ante mí a un religioso. Al revés de los otros sacerdotes que había conocido, él no conocía palabras de condena ni de consuelo, todo eso empalagoso de los mensajes remanidos le era ajeno. Había en él una especie de dureza que a primera vista podía parecer rechazante. "Sólo el dolor hace crecer —decía— pero el dolor hay que tomarlo en serio, quien se escabulle o se compadece está destinado a perder."

Vencer, perder, los términos guerreros que empleaba servían para describir una lucha silenciosa, absolutamente interior. Según él, el corazón del hombre era como la tierra, mitad iluminado por el sol y mitad en sombras. Ni siquiera los santos tenían luz por todos lados. "Por el simple hecho de que existe el cuerpo —decía— estamos en la sombra, somos como las ranas, anfibios, una parte de nosotros vive aquí abajo y la otra tiende hacia lo alto. Vivir es sólo ser consciente de esto, saberlo, luchar para que la luz no desaparezca vencida por la sombra. Desconfíe de quien es perfecto —me instaba— de quien tiene las soluciones listas en el bolsillo, desconfíe de todo menos de lo que le dice el corazón." Yo lo escuchaba fascinada, nunca había encontrado a alguien que expresara tan bien lo que se agitaba en mí desde hacía tiempo, sin lograr salir. Con sus palabras, mis pensamientos tomaban forma, de golpe había un camino hacia adelante, recorrerlo ya no me parecía imposible.

Cada tanto, en la mochila traía algún libro que le era particularmente querido; cuando nos deteníamos, me leía fragmentos con su voz clara y severa. Junto a él descubrí las plegarias de los monjes rusos, la oración del corazón; comprendí los pasajes del Evangelio y de la Biblia que hasta ese momento me habían resultado oscuros. En todos los años pasados desde la desaparición de Ernesto, había hecho un camino interior, sí, pero era un camino limitado al conocimiento de mí misma. En aquel camino, en determinado punto, me había encontrado frente a un muro; sabía que más allá de ese muro la ruta avanzaba más luminosa y más ancha, pero no sabía cómo hacer para franquearlo. Un día, durante un chaparrón imprevisto, nos refugiamos en la entrada de una gruta.

—¿Cómo se hace para tener fe? —le pregunté allí adentro.

—No se hace, viene. Usted ya la tiene, pero su orgullo le impide admitirlo. Si plantea muchas preguntas, complica lo simple. En realidad, tiene un miedo muy grande. Déjese ir y lo que tenga que venir, vendrá.

De esos paseos volvía a casa cada vez más confusa, más insegura. Era desagradable, te lo he dicho, sus palabras me herían. Muchas veces tuve deseos de no verlo más; el martes a la noche me decía: ahora lo llamo por teléfono, le digo que no venga porque no me siento bien, y en cambio, no lo llamaba. El miércoles a la tarde lo esperaba puntual en la puerta con la mochila y los zapatones.

Nuestras excursiones duraron poco más de un año; de un día para el otro sus superiores lo alejaron de su cargo.

Lo que te dije quizás te haga pensar que el padre Thomas era un hombre arrogante, que había vehemencia o fanatismo en sus palabras, en su visión del mundo. Al contrario, no era así; en lo profundo era la persona más tranquila y mansa que yo haya conocido, no era un soldado de Dios. Si había misticismo en su personalidad, era un misticismo muy concreto, anclado en las cosas de todos los días.

"Estamos aquí, ahora", me repetía siempre.

En la puerta me entregó un sobre. Adentro había una postal con un paisaje de pasturas montañosas. El reino de Dios está dentro de vosotros, estaba impreso en alemán, y al dorso, con su letra, él había escrito: "Sentada bajo la encina no sea usted sino la encina, en el bosque sea el bosque, en el prado sea el prado, entre los hombres esté con los hombres".

El reino de Dios está dentro de vosotros, ¿te acuerdas? Esa frase ya me había impactado cuando vivía en L' Aquila en mi condición de esposa infeliz. Aquella vez, cerrando los ojos, mirando hacia mi interior, no lograba ver nada. Después del encuentro con el padre Thomas, algo había cambiado, seguía sin ver nada, pero ya no era una ceguera absoluta, en el fondo de la oscuridad empezaba a haber una claridad, y cada tanto, por brevísimos instantes, conseguía olvidarme de mí misma. Era una luz pequeña, débil, apenas una llamita, un soplo habría bastado para apagarla. Sin embargo, el hecho de que exisistiera me daba una levedad extraña, no era felicidad lo que sentía sino alegría. No había euforia, exaltación, no me sentía más sabia, más elevada. Lo que crecía dentro de mí era sólo una serena conciencia de existir.

Prado en el prado, encina bajo la encina, persona entre las personas.

20 DE DICIEMBRE

Precedida por Buck, esta mañana fui al altillo. ¡Cuántos años que no abría esa puerta! Había polvo por todos lados y grandes arañas colgaban de los tirantes. Al mover cajas y cartones, descubrí dos o tres nidos de lirones; dormían tan profundamente que no se dieron cuenta de nada. De chicos, gusta mucho ir al altillo; a los viejos no les gusta tanto. Todo aquello que era misterio, aventurado descubrimiento, se convierte en dolor del recuerdo.

Buscaba el pesebre. Para encontrarlo tuve que abrir distintas cajas, los dos baúles más grandes. Envueltos en diarios y trapos, me cayeron entre las manos la muñeca preferida de Ilaria, sus juegos de cuando era niña.

Más abajo, brillosos y conservados en perfecto estado, estaban los insectos de Augusto, sus lupas, todos los utensillos que usaba para juntarlos. No muy lejos de allí, en un frasco de caramelos, atadas con una cintita roja estaban las cartas de Ernesto. Tuyo no había nada; tú eres joven, estás viva, el altillo no es tu lugar todavía.

Cuando abrí las bolsitas guardadas en uno de los baúles, encontré también las pocas cosas de mi infancia que se habían salvado del derrumbe de la casa. Estaban chamuscadas, ennegrecidas, las saqué como si fueran reliquias. Se trataba en gran parte de objetos de cocina: un jarrito de esmalte, una azucarera de cerámica blanca y azul, algún cubierto, un molde de torta y, en el fondo, las páginas de un libro sueltas, sin tapa. ¿Qué libro era? No lograba recordarlo. Sólo cuando, con delicadeza, lo tomé y comencé a leer las líneas del inicio, todo me volvió a la mente. Fue una emoción muy fuerte: no era un libro cualquiera sino el que de niña había querido más que a todos los otros, el que más me hacía soñar. Se llamaba *Las Maravillas del Dos Mil* y era, a su modo, un libro de ciencia ficción. La historia era bastante simple, pero rica en fantasía. Para ver si el magnífico destino del progreso se iba a verificar, dos científicos de fines del siglo XIX se habían hecho hibernar hasta el dos mil. Transcurrido un siglo exacto, el nieto de un colega de ellos, también científico, los había descongelado y, a bordo de una pequeña plataforma volante, los había llevado a hacer una gira instructiva por el mundo. No había extraterrestres en esa historia, ni naves espaciales, todo lo que sucedía se refería sólo al destino del hombre, a lo que había construido con sus manos. Y, según el autor, el hombre hizo muchas cosas, y todas maravillosas. No había más hambre en el mundo, ni pobreza, porque la ciencia, unida a la tecnología, había encontrado la forma de hacer fértiles todos los rincones del planeta y —algo todavía más importante— había hecho que esa fertilidad fuera distribuida en modo equitativo entre todos sus habitantes. Muchas máquinas aliviaban al hombre de la fatiga del trabajo, el tiempo libre para todos era mucho y, así, todo ser humano podía cultivar sus partes más nobles. En todos los rincones del globo resonaban músicas, versos, conversaciones filosóficas calmas y eruditas. Como si todo eso no bastase, gracias a la plataforma volante se podía ir en menos de una hora de un continente al otro. Los dos viejos científicos parecían muy satisfechos: todo lo que, en su fe positivista habían admitido por hipótesis, se había hecho verdad. Al hojear el libro, encontré también mi ilustración preferida: aquella donde dos corpulentos estudiosos, con barba darwiniana y chaleco a cuadros, se asoman jubilosos desde la plataforma para mirar hacia abajo.

Para aventar cualquier duda, uno de los dos había osado hacer la pregunta que más le interesaba:

—¿Y los anarquistas? —preguntó—. ¿Los revolucionarios todavía existen?

—Oh, claro que existen —había respondido el guía con una sonrisa—. Viven en ciudades para ellos, construidas bajo el hielo de los Polos a fin de que, en caso de que quieran perjudicar a los demás, no puedan hacerlo.

—¿Y los ejércitos? —apremiaba entonces el otro—. ¿Cómo es que no se ve ningún soldado?

—Los ejércitos no existen más —contestaba el joven.

A esa altura, los dos suspiraron aliviados: ¡por fin el hombre había vuelto a su bondad originaria! Sin embargo, era un alivio de corta duración, porque enseguida el guía les decía:

—Oh, no, no es ésa la razón. El hombre no ha perdido su pasión por destruir, sólo ha aprendido a contenerse. Los soldados, los cañones, las bayonetas, son instrumentos ya superados. En su lugar hay un artefacto pequeño pero potentísimo: a él se debe justamente la falta de guerras. En efecto, basta subir a un monte y dejarlo caer para reducir el mundo entero a briznas y astillas.

¡Los anarquistas! ¡Los revolucionarios! Cuántas pesadillas de mi infancia había en esas dos palabras. Para tí quizás sea un poco difícil de entender, pero debes tener en cuenta que, al estallar la revolución de octubre, yo tenía siete años. A los grandes los escuchaba susurrar sobre cosas grandes y terribles. Una compañera de escuela me había dicho que en poco tiempo los cosacos llegarían a Roma, a San Pedro, y abrevarían a sus caballos en las fuentes sagradas. El horror, presente por naturaleza en las mentes infantiles, estaba imbuido de aquellas imágenes: de noche, en el momento de dormirme, oía el ruido de sus cascos que bajaban al galope desde los Balcanes.

¡Quien iba a imaginar que los horrores que vería

DONDE EL CORAZÓN TE LLEVE

serían bien distintos, mucho más abrumadores que los caballos al galope por las calles de Roma! Cuando de niña leía ese libro, hacía grandes cálculos para entender si, con mis años, podría asomarme al dos mil. Noventa años me parecía una edad bastante avanzada pero no imposible de alcanzar. Esa idea me producía una especie de éxtasis, una ligera sensación de superioridad con respecto a todos aquellos que no llegarían al dos mil.

Ahora que estamos cerca, sé que no llegaré. ¿Siento amargura, nostalgia? No; sólo estoy muy cansada, de todas las maravillas anunciadas, sólo he visto cumplirse una: el artefacto minúsculo y potentísimo. No sé si les pasa a todos en los últimos días de su existencia, me refiero a esa sensación repentina de haber vivido demasiado, de haber visto demasiado, de haber sentido demasiado. No sé si le ocurría al hombre del neolítico o no. En el fondo, pensando en el siglo casi entero que atravesé, tengo la idea de que, de cualquier modo, el tiempo ha sufrido una aceleración. Un día es siempre un día, la noche siempre es larga en proporción al día, el día, en proporción a las estaciones. Ahora como en el neolítico. El sol sale y se oculta. Astronómicamente, si hay una diferencia, es mínima.

Y sin embargo, tengo la sensación de que todo es más acelerado. La historia hace suceder tantas cosas, nos bombardea con hechos siempre distintos. Al final de cada día, uno se siente más cansado; al final de una vida, agotado. ¡Piensa solamente en la revolución de octubre, en el comunismo! Lo vi surgir, a causa de los bolcheviques no dormí de noche; lo vi difundirse por los países y dividir al mundo en dos grandes zonas, aquí el blanco y allá el negro —el blanco y el negro en lucha perpetua entre ellos—, y por esa lucha todos quedamos con el aliento en suspenso: existía el artefacto; ya había caído, pero podía volver a hacerlo en cualquier momento. Hasta que, de golpe, un día como todos, enciendo el televisor y veo que todo eso no existe más; se derriban los muros, las rejas, las estatuas: en menos de un mes, la gran utopía del siglo se ha convertido en un dinosaurio. Está embalsamada, casi resulta inocua en medio de su inmovilidad. Está en medio de una sala y todos pasan por allí y se refieren a lo grande que era y, ¡oh, qué terrible!

Hablo del comunismo, pero podría haber dicho cualquier otra cosa; muchas fueron las que pasaron delante de mis ojos y de ellas ninguna ha quedado. ¿Comprendes ahora por qué digo que el tiempo está acelerado? En el neolítico, ¿qué podía suceder en el transcurso de una vida? La estación de las lluvias, la de la nieve, la estación del sol y la invasión de los saltamontes, alguna escaramuza cruenta con unos vecinos poco simpáticos, quizás el arribo de un meteorito con su cráter humeante. Aparte el propio campo, aparte el río, no existía otra cosa; al ignorar la extensión del tiempo, el tiempo forzosamente era más lento.

"Que puedas vivir en años interesantes", parece que se dicen los chinos entre ellos ¿Un augurio benévolo? No lo creo, más que un augurio me suena a maldición. Los años interesantes son los más inquietos, aquellos en que suceden muchas cosas. Yo viví en años muy interesantes, pero los que vivirás tú lo serán todavía más. Aun cuando sea una pura convención astronómica, el cambio de milenio parece que siempre trae consigo una sacudida violenta.

El primero de enero del dos mil, los pajaritos se despertarán en los árboles a la misma hora del 31 de diciembre de 1999, cantarán de la misma manera y, al terminar de cantar, irán en busca de alimento como el día anterior. Para los hombres, en cambio, todo será distinto. Quizás —si el castigo previsto no ha llegado— se dediquen con buena voluntad a la construcción de un mundo mejor. ¿Será así? Puede que sí y puede que no. Las señales que pude ver hasta aquí son distintas y difieren mucho entre ellas. Un día me parece que el hombre es sólo un mono grandote a merced de sus intintos y en condiciones, por desgracia, de manejar máquinas sofisticadas y muy peligrosas; al día siguiente, en cambio, tengo la impresión de que lo peor ya pasó y de que la parte mejor del espíritu comienza a emerger. ¿Qué hipótesis será la verdadera? Vaya uno a saber, tal vez ninguna de las dos, tal vez de veras en la noche del dos mil, para castigar al hombre por su estupidez, por la forma poco sabia en que desperdició sus potencialidades, caerá sobre la tierra una terrible lluvia de fuego y cosas memorables.

En el dos mil, tú tendrás apenas veinticuatro años y verás todo eso, en cambio yo me habré ido, llevándome a la tumba esta curiosidad insatisfecha. ¿Estarás preparada, serás capaz de afrontar los tiempos nuevos? Si en este momento bajara del cielo un hada y me dijera que pida tres deseos, ¿sabes qué le pediría? Le pediría que me transforme en lirón, en un pájaro como el herrerillo, en una araña doméstica, en algo que, sin ser visto, viva a tu lado. No sé cuál será tu futuro, no puedo imaginarlo; dado que te quiero, sufro mucho por no saberlo. Las pocas veces que hemos hablado de él, tú no lo veías para nada rosado: con ese absolutismo propio de la adolescencia, estabas convencida de que la desdicha que te perseguía entonces, te perseguiría siempre. Yo estoy convencida de lo contrario. Por qué, te preguntarás, cuáles son las señales que me hacen albergar esta idea loca. Por Buck, tesoro, siempre y sólo por Buck. Porque cuando lo elegiste en la perrera creías que solamente habías elegido un perro entre otros perros. En realidad, en esos tres días libraste en tu interior una batalla mucho más grande, mucho más decisiva; entre la voz de la apariencia y la del corazón, elegiste sin ninguna duda, sin ninguna indecisión, la del corazón.

A tu misma edad, es muy probable que yo hubiera elegido un perro suave y elegante, habría elegido el más noble y perfumado, un perro con quien ir a pasear para que me envidiaran. Mi inseguridad, el ambiente en que había crecido, ya me habían entregado a la tiranía de lo exterior.

21 DE DICIEMBRE

De toda esa larga inspección del altillo, ayer finalmente bajé el pesebre y el molde de torta sobreviviente del incendio. El pesebre está bien, dirás, estamos en Navidad, pero el molde, ¿qué tiene que ver? Este molde pertenecía a mi abuela, es decir, a tu tatarabuela, y es el único objeto que ha quedado de la historia femenina de nuestra familia. Debido a su larga permanencia en el altillo se ha oxidado; lo llevé en seguida a la cocina y en la pileta, usando la mano sana y las esponjas adecuadas, traté de limpiarlo. Piensa cuántas veces en su existencia ha entrado y salido del horno, cuántos hornos distintos y cada vez más modernos ha visto, cuántas manos distintas y, a pesar de todo, parecidas, lo llenaron de masa. Lo bajé para que siga viviendo para que tú lo uses y, quizás, lo dejes a tu vez, para que lo usen tus hijas, para que en su historia de objeto humilde resuma y recuerde la historia de nuestras generaciones.

En cuanto lo vi en el fondo del baúl, me volvió a la mente la última vez que nos sentimos bien juntas. ¿Cuándo fue? Hace un año, tal vez un poco más. En las primeras horas de la tarde habías entrado sin golpear en mi cuarto. Yo estaba descansando echada en la cama, con las manos recogidas sobre el pecho y tú, al verme, te echaste a llorar sin poder contenerte. Tus sollozos me despertaron.

—¿Qué ocurre? —te pregunté al sentarme—. ¿Qué pasa?

—Que pronto te morirás —me contestaste, llorando con más fuerza.

—Oh, vamos, tan pronto espero que no —te dije riéndome, y luego agregué: —¿Sabes una cosa? Te enseñaré algo que no sepas hacer, de modo que, cuando yo ya no esté, tú la harás y te acordarás de mí.

Me levanté y me echaste los brazos al cuello.

—Bien—te dije, para anular la emoción que también me estaba invadiendo—, ¿qué quieres que te enseñe a hacer?

Mientras te secabas las lágrimas, pensaste un poco y dijiste:

—Una torta.

Por eso fuimos a la cocina y empezamos una larga batalla. Primero no querías ponerte el delantal, decías:

—Si me lo pongo, después tendré que ponerme también los ruleros y las chancletas. ¡Qué horror!

Luego, ante las claras que debían ser batidas a nieve, decías que te dolía la muñeca, te enojabas porque la manteca no se amalgamaba con la yema de huevo, porque el horno nunca estaba lo bastante caliente. Al pasar la lengua por la cacerola donde había derretido el chocolate, la nariz se me puso marrón. Al verme, te echaste a reír.

—A tu edad —decías—. ¿No te da vergüenza? ¡Tienes la nariz marrón como un perro!

Para hacer aquel simple pastel empleamos toda la tarde y dejamos la cocina en un estado lamentable. En forma inesperada, entre nosotras había nacido una gran camaradería, una alegría basada en la complicidad. Sólo cuando la torta entró por fin en el horno, cuando la viste oscurecerse de a poco detrás del vidrio, de repente recordaste por qué la habíamos hecho y comenzaste a llorar. Delante del horno yo trataba de consolarte.

—No llores —te decía—. Es verdad que me iré antes que tú, pero cuando ya no esté, todavía estaré, viviré en tu memoria con hermosos recuerdos: verás los árboles, el huerto, el jardín, y te volverán a la mente todos los momentos felices que pasamos juntas. Lo mismo te sucederá si te sientas en mi sillón, si haces la torta que hoy te enseñé a hacer, y me verás frente a ti con la nariz marrón.

22 DE DICIEMBRE

Hoy, después del desayuno, fui a la sala y empecé a armar el pesebre en el lugar acostumbrado, junto al hogar. Primero puse el papel verde, luego los pedacitos de musgo seco, las palmeras, la choza con San José y la Virgen en su interior, el buey y el pequeño asno y, esparcida alrededor, la multitud con los pastores, las mujeres con los patos, los músicos, los cerdos, los pescadores, los gallos y las gallinas, las ovejas y las cabras. Con cinta adhesiva, sobre el paisaje, coloqué el papel azul del cielo; la estrella cometa me la puse en el bolsillo derecho de la bata; en el izquierdo guardé los Reyes Magos; luego fui al otro extremo del cuarto y colgué la estrella sobre el aparador; debajo, un poco lejos, dispuse la fila de los Reyes y los camellos.

¿Te acuerdas? Cuando eras chica, con esa furiosa necesidad de coherencia que distingue a los niños, no soportabas que la estrella y los tres Reyes estu-

191

vieran desde el principio junto al pesebre. Tenían que estar lejos y avanzar de a poco, la estrella algo más adelante y los Reyes atrás. De la misma manera, no soportabas que el Niño Jesús estuviera antes de tiempo en el pesebre, y por eso lo hacíamos volar desde el cielo hasta el establo a la medianoche en punto del veinticuatro. Mientras acomodaba las ovejas sobre su tapete verde, me volvió a la mente otra cosa que te gustaba hacer con el pesebre, un juego que habías inventado tú y que nunca te cansabas de repetir. Al principio creo que te inspiraste en la Pascua. Para Pascua, en efecto, tenía la costumbre de esconderte los huevos de colores en el jardín. Para Navidad, en lugar de los huevos, tú escondías las ovejitas. Cuando yo no miraba, tomabas una del rebaño y la ponías en los lugares más impensados, luego ibas adonde estaba yo y comenzabas a balar con voz desesperada. Entonces empezaba la búsqueda, dejaba lo que estaba haciendo, y contigo atrás recorría la casa diciendo: "¿Dónde estás, ovejita perdida? Déjate encontrar para que te ponga a salvo".

Y ahora, ovejita, ¿dónde estás? Ahora estás allá, mientras escribo, entre los coyotes y los cactus; cuando leas esto, muy probablemente estarás aquí y mis cosas ya estarán en el altillo. ¿Mis palabras te habrán puesto a salvo? No tengo esta presunción, tal vez sólo te hayan irritado, habrán confirmado la idea ya pésima que tenías de mí antes de partir. Tal vez puedas entenderme sólo cuando seas más grande, podrás entenderme si cumples ese recorrido misterioso que de la intransigencia conduce a la piedad.

Piedad, escucha bien, no pena. Si sientes pena, bajaré como esos pequeños espíritus maléficos y te persiguiré con un montón de diabluras. Haré otro tanto si en vez de humilde, eres modesta, si te emborrachas con charlas vacías en lugar de permanecer callada. Explotarán las lamparitas, los platos volarán de sus estantes, la ropa interior terminará en la araña; desde el alba hasta bien entrada la noche, no te dejaré en paz ni un solo instante.

Pero todo eso no es verdad, no haré nada. Si estoy en alguna parte, si puedo verte, sólo me sentiré triste como todas las veces que veo una vida desperdiciada, una vida en la que el camino del amor no pudo cumplirse. Cúidate. Cada vez que, al crecer, tengas deseos de cambiar las cosas equivocadas por cosas justas, recuerda que la primera revolución que debe hacerse es la que se realiza dentro de uno mismo, la primera y la más importante. Luchar por una idea sin tener una idea de uno mismo es una de las cosas más peligrosas que se puede hacer.

Cada vez que te sientas perdida, confusa, piensa en los árboles, recuerda su forma de crecer. Recuerda que al árbol con mucha copa y pocas raíces, el primer golpe de viento lo arranca del suelo mientras que en un árbol con muchas raíces y poca copa, la savia corre con esfuerzo. Las raíces y la copa deben crecer en igual medida; debes estar en las cosas y encima de ellas, sólo así podrás ofrecer sombra y refugio, sólo así, en la estación adecuada, podrás cubrirte de flores y de frutos.

Y cuando frente a ti se abran muchos caminos y no sepas cuál tomar, no elijas uno al azar, siéntate y espera. Respira con la profundidad confiada con que respiraste el día en que viniste al mundo, sin dejarte distraer por nada, espera y vuelve a esperar. Quédate quieta, en silencio, y escucha a tu corazón. Cuando te hable, levántate y marcha hacia donde él te lleve.